EL PEQUEÑO LIBRO

DE LA

ASTROLOGÍA

EL PEQUEÑO LIBRO
DE LA
ASTROLOGÍA

UNA INTRODUCCIÓN AL ZODÍACO

COLIN BEDELL

edaf

MADRID – MÉXICO – BUENOS AIRES – SANTIAGO
2024

Título original: *A little bit of Astrology*
© 2018. Colin Bedell
© 2024. De la traducción, José Antonio Álvaro Garrido
© 2024. De esta edición, Editorial Edaf, S.L.U., Jorge Juan, 68 — 28009 Madrid, por acuerdo
con Sterling Publishing Co., Inc. Publicado por primera vez en 2018 por Sterling Ethos, una
división de Sterling Publishing Co., Inc., 1166 Avenue of the Americas. New York, NY 10036,
representados por UTE Körner Literary Agent, S.L.U., c/ Arago 224, pral 2.ª, 08011 Barcelona,
España.

Diseño de cubierta: © Sterling Publishing Co., Inc., adaptada por Diseño y Control Gráfico
Maquetación y diseño de interior: Adaptada del original por Diseño y Control Gráfico, S.L.

Editorial Edaf, S.L.U.
Jorge Juan, 68
28009 Madrid, España
Teléf.: (34) 91 435 82 60
www.edaf.net edaf@edaf.net

Ediciones Algaba, S.A. de C.V.
Calle 21, Poniente 3323 — Entre la 33 sur y la 35 sur
Colonia Belisario Domínguez
Puebla 72180, México
Telf.: 52 22 22 11 13 87
jaime.breton@edaf.com.mx

Edaf del Plata, S.A.
Chile 2222
Buenos Aires – Argentina
edafdelplata@gmail.com
fernando.barredo@edaf.com.mx
Teléf.: +54 11 4308-5222 / +54 9 11 6784-9516

Edaf Chile S.A.
Huérfanos 1179 – Oficina 501
Santiago – Chile
comercialedafchile@edafchile.cl

Teléf.: +56 9 4468 0539/+56 9 4468 0537

Junio de 2024

ISBN: 978-84-414-4287-0
Depósito legal: M-546-2024

PRINTED IN SPAIN   IMPRESO EN ESPAÑA

COFÁS
Papel 100 % procedente de bosques gestionados de acuerdo con criterios de sostenibilidad.

Para mi Virgo, Tansy Lea Stowell,
Mi vida está en mis manos
Y tu amor en mi corazón

CONTENIDO

UNA INTRODUCCIÓN: «COMO ES ARRIBA, ES ABAJO»

Ocurrió que, durante una ola de calor abrasador en agosto, abrí de una patada la puerta de mi casa de Long Island para acercarme a mi madre y contarle mi sueño más reciente. Yo tenía entonces doce años.

Ella, poniendo de manifiesto ese milagro de la percepción amorosa que nace del corazón de una madre, me escuchó con atención, antes de preguntarse: «¿Qué voy a hacer con mi hijo Géminis?». Así que corrí a encender el ordenador de mi hermana gemela y tecleé «GÉMINIS» con un dedo. Al darle a Buscar, mi propia búsqueda llegó a su término, ya que la astrología me encontró a mí. Como ahora te ha encontrado a ti. Si estás destinado al estudio de los astros, ya eres consciente de ello. Yo diría que sí. De lo contrario, no estarías en la órbita de este libro. Así que es un honor para mí darte la bienvenida a la astrología, un antiguo sistema metafísico basado en los patrones del movimiento planetario, dentro de las constelaciones del zodíaco, que tiene el potencial de proporcionar una visión individual, una relación mutua y una comprensión más profunda del tiempo que se te ha concedido para llevar a cabo el objetivo de tu alma.

Desde que empecé a observar las estrellas, no ha dejado de sorprenderme su capacidad para ayudarme a dar sentido a mis experiencias en la Tierra. Aunque no es una cura para las dificultades y la incertidumbre de la vida, el estudio de la astrología me ha proporcionado herramientas sumamente prácticas para comprender psicológica, emocional y conductualmente el pasado, el presente y el futuro.

En el momento en que comencé a escribir este libro, llevaba quince años estudiando astrología «occidental». Me siento profundamente agradecido por las contribuciones de mis antiguos colegas de esta escuela de pensamiento, tanto los primitivos como los contemporáneos. Cuando aplico sus teorías preexistentes a mis decisiones, puedo ver hasta qué punto acertaron los astrólogos. También advierto cómo se equivocaron al desarrollar un lenguaje inaccesible, dogmatismo y un exclusivismo intencionado. La opinión más rotunda que he oído sobre la astrología es acerca de su fatalismo y de su terminología enrevesada.

Así que mi intención para este libro es la de brindar una invitación. Te invito a acceder de manera fácil a las teorías y métodos de la astrología, a beneficio de tu bienestar individual y relacional. Cada estudiante de astrología accede a esta de manera diferente, por lo que mis métodos son históricos, técnicos y muy metafóricos. Creo que el contexto es clave para el éxito de tu aprendizaje y por eso quiero presentarte una gran variedad de enfoques.

Al fin y al cabo, el zodíaco es un relato con mensajes codificados que podemos aprender y aplicar a nuestras decisiones. Aunque la astrología tiene el potencial de aportar un rico sentido del humor a experiencias y momentos místicos, es importante recordar que la astrología no es un juguete. Es una antigua disciplina que nos ayuda a comprender las leyes que podrían hacernos desenvolvernos en el Universo. Es algo muy importante. Así que merece un abordaje crítico y respeto a la hora de aplicarla. Tengo la esperanza de que este libro pueda ayudarte a comprender cómo cada signo —ninguno es más ni menos especial— tiene una función específica que el Universo quiere que cumpla. A lo largo de mi investigación, teórica y experimental, he encontrado algunos patrones más en los doce arquetipos del zodíaco. En *El pequeño libro de la Astrología* no encontrarás análisis cansinos del tipo afirmaciones sobre la terquedad de Tauro o la sensibilidad de Cáncer. ¿Quién de nosotros no es terco en sus pasiones y/o sensible con sus heridas psíquicas?

Para aprovechar al máximo el análisis de la astrología, en un libro breve como es este, voy a explorar el zodíaco a través de la combinación individual, en cada signo, del elemento (fuego, tierra, aire y agua) y la cualidad (cardinal, fijo y mutable). Imagino el elemento como la forma del signo, y la cualidad como el contenido de la función del signo que subyace a la forma.

Al asignar un solo signo a cada capítulo, no se tiene en cuenta el carácter inclusivo e interrelacionado de este sistema. Así pues, el provecho que se obtiene de la astrología en este libro es cronológico y acumulativo. Y, puesto que cada signo es un vínculo de elemento y cualidad, la comprensión de este método de *elemento como forma y cualidad como función* permitirá al lector vencer con rapidez la intimidación que produce la astrología, gracias esta llave maestra.

Ningún discurso astrológico significativo está completo sin un conocimiento profundo sobre las dos luminarias —el Sol y la Luna— y los ocho planetas. Cada planeta podría dar por sí solo para un libro de más de doscientas páginas, dada la repercusión que tienen en nuestras vidas. Cuando digo: «Soy Géminis», lo que realmente estoy diciendo es: «Nací mientras el Sol transitaba por la constelación de Géminis». Más allá de lo que los planetas influyan en tu vida personal, ofreceré un repaso sobre qué ámbitos externos rigen los planetas y luminarias para que, cuando realicen un tránsito importante, puedas centrarte en los elementos relevantes.

Este libro puede ser pequeño, pero su objetivo es ayudarte a entender los grandes conceptos de la astrología. Encontrar herramientas que te ayuden a resolver las grandes cuestiones de la vida. A la hora de llevar a cabo esto último, los astrólogos descifran un símbolo llamado *carta natal* cuando hacen las consultas, las lecturas y los pronósticos del horóscopo. Coloquialmente llamada «la carta», es un mapa preciso de la ubicación del Sol, la Luna y los ocho planetas en las constelaciones del zodíaco, en un momento y lugar concretos. Tu carta natal es la posición de los astros cuando respiraste por primera vez. La carta es un círculo y está dividida en doce secciones denominadas *casas*, y cada casa contiene la clave para comprender temas cruciales —tales como la carrera profesional o las relaciones amorosas— para esas grandes áreas de tu vida.

En este desglose te guiaré a través de la fórmula que sirve para dar sentido a tu propia carta, de forma que puedas detectar los mejores períodos de oportunidad y programar eventos con un poco de ayuda del infinitamente poderoso Universo. Eso no hace daño, ¿verdad?

Apostaría lo que fuese a que el tema que más se consulta a los astrólogos es el amor. O, en nuestra escuela estelar de pensamiento, la compatibilidad.

Aquí te ayudaré a ver cómo la distancia entre signos es tan solo otro mapa del amor que te sirve de ayuda para acercarte a alguien. Aunque la asimilación del vocabulario astrológico ayuda a la competencia romántica, no garantiza en absoluto el éxito de la relación.

Por eso, me he abstenido deliberadamente de utilizar las dicotomías, eso de bueno frente a malo, o compatibilidad positiva o negativa. Cualquiera que haya experimentado una conexión significativa sabe que un paradigma del tipo «uno u otro» es demasiado simplista a la hora de calibrar el éxito de una relación. Y creo que cada signo del zodíaco puede enseñar y aprender del otro. Así que, si el resultado del aprendizaje es amor dado y recibido, a pesar del tiempo, ¡que os vaya bien!

A menudo me preguntan: «¿Qué les dices a los incrédulos?». En lo que a mí respecta, las «creencias» de alguien no solo no me incumben, sino que son irrelevantes. Lo único que determina que el sistema de creencias de una persona sea eficiente, es cómo se traduce en la experiencia de la persona. Sé que cuando sigo los principios por los que se rige la astrología (como el hecho de que el Universo está diseñado para tu mayor realización personal), cuando reconozco la santidad de cada signo zodiacal y cuando confío en el calendario cósmicamente ordenado del Universo, mi vida funciona. Así que mi experiencia refleja la validez de mis creencias.

Espero que puedas aplicar lo que aprendas en este libro a tu sistema de creencias y compruebes si tu experiencia manifiesta el éxito de tus creencias. Puede que te sientas un poco aislado mientras navegas por esta conversación cósmica, ya que muchos la han despreciado sin detenerse a investigarla. No les prestes atención. Corre hacia la experiencia de vivir tu vida alineado con las estrellas y disfruta de la sensación del cielo en la tierra.

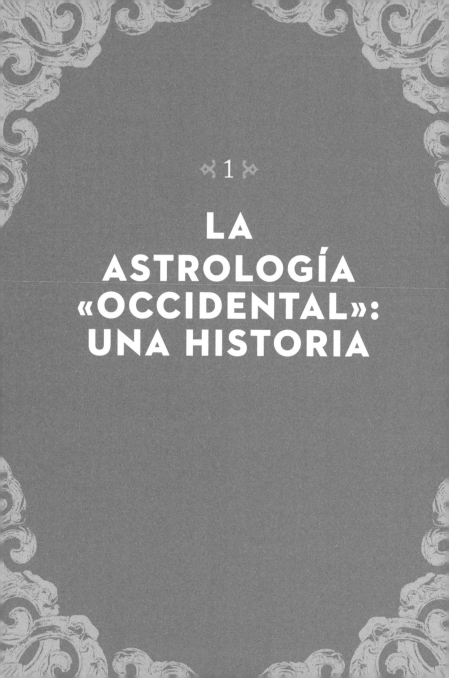

❖ 1 ❖

LA ASTROLOGÍA «OCCIDENTAL»: UNA HISTORIA

A NUESTRO HORÓSCOPO *CHIC* SE LE CONSIDERA «la ciencia humana más antigua». Cuando lees sobre él una columna de periódico o le preguntas a alguien «¿Cuál es tu signo?», estás viajando en el tiempo con un reloj antiguo que surgió en Babilonia y Asiria, en Mesopotamia, en 1800 a.C., luego de que los sumerios fijasen las constelaciones, durante el tercer milenio[1].

Los antiguos babilonios, realizando un esfuerzo que ha sido una constante en todas las épocas del tiempo —de lo contrario, no estarías leyendo estas palabras—, buscaban comprender los significados del pasado, el presente y el futuro.

En lo que hoy es Irak, los antiguos, con una atención heroica y minuciosa, empezaron a mirar las estrellas con ojos de artista depurado. Comenzaron a observar e identificar los movimientos celestes y los fenómenos aparentemente mundanos que tenían lugar en un marco temporal específico. Reunidos en setenta tablillas llamadas *Enuma Anu Enlil* (son nombres de deidades), los babilonios consignaron el zodíaco —los doce signos zodiacales— y aproximadamente siete mil patrones entre las posibles influencias de fuerzas astronómicas, tales como las lunares, las solares y otras fuerzas meteorológicas que podían intervenir en las experiencias interpersonales e incluso políticas.

Los eruditos daban a esos patrones el nombre de *presagios* y los definían como «un suceso que debía considerarse como benéfico o maligno»[2]. A menos de mil kilómetros de Babilonia, los antiguos egipcios estaban desarrollando su propio calendario cósmico. Así que, sin una cantidad significativa de artefactos antiguos que validen su entrada en la astrología, a los antiguos egipcios se les atribuye no tanto la teoría y el simbolismo de patrones de sus colegas mesopotámicos como un calendario preciso para estudiar los movimientos de los planetas y las luminarias. Los egipcios comprendieron que la Tierra tardaba aproximadamente 360 días en completar una revolución alrededor del Sol: un año civil.

Con el tiempo, las tradiciones del calendario de Egipto y los patrones de Babilonia se fusionaron, presumiblemente en Alejandría, Egipto. Allí tomó forma la astrología helenística, con conceptos astrológicos que exploraremos en otros capítulos de este libro, como, por ejemplo, las casas en la carta natal. El alejandrino Claudio Ptolomeo, célebre matemático, poeta y astrólogo, planteó una relación más causal entre las estrellas y la vida en la Tierra en su obra *Tetrabiblos*; es decir, los «cuatro libros». Ptolomeo introdujo la técnica para la medición del Zodíaco Tropical que siguen utilizando la mayoría de los astrólogos contemporáneos.

El Zodíaco Tropical es el principal sistema de referencia mediante el cual se fijan las fechas de los doce signos del zodíaco. Así que la próxima vez que veas la noticia de que «Tu signo del zodíaco cambió...» recuerda que no ha sido así, porque la clave del astrólogo es completamente consistente en todas las direcciones del tiempo.

En los días que siguieron al derrumbe del Imperio romano, la astrología sufrió su propio colapso. «Como es arriba, es abajo», ¿verdad? Llegados a este punto, la historia del mundo nos lleva a unos pocos cientos de años después de la época de Jesús. Para entonces, el cristianismo se había convertido en la doctrina imperante de Europa. San Agustín se inspiró así para escribir en su obra *Confesiones*: «La causa de tu pecado está inevitablemente determinada en el cielo» y «Esto hizo Venus, o Saturno, o Marte»[3]. Como San Agustín creía que solo el cielo podía determinar el pecado, tildó de «impostor» al astrólogo.

El conocimiento de la astrología no permaneció demasiado tiempo en la negra oscuridad de la Edad Media. En 1485, Santo Tomás de Aquino decretó en su *Summa Theologica*: «...ahora bien, los cuerpos celestes son los causantes de lo que ocurre en el mundo... en consecuencia, la adivinación a través de los astros no es ilícita»[4]. El Renacimiento hizo rebrotar la astrología por toda Italia e incluso en la Ciudad del Vaticano. En 1495, el papa León X creó una cátedra de astrología en la Universidad de Roma, «La Sapienza», y, como Jean Seznec nos recuerda, el zodíaco, las constelaciones y los planetas «desempeñan un papel curiosamente destacado» en la decoración del Vaticano. La bóveda de la *Sala dei Pontefici* de los Apartamentos Borgia, decorada a instancias de León, rodea los nombres de los sucesores de San Pedro con símbolos celestes»[5].

Durante los siguientes trescientos años, el interés por la astrología y su práctica fue inconsistente a escala internacional, sobre todo porque se la definía legalmente como «adivinación» y, por tanto, era ilegal en Europa e incluso en Estados Unidos a lo largo de la historia.

Desilusionados por lo que consideraban el gobierno imperialista estadounidense y su participación en la guerra de Vietnam, los jóvenes de los años sesenta, con *Be Here Now* de Ram Dass en una mano y un cartel de «All You Need Is Love» en la otra, abrieron la cultura popular para acoger el regreso de la astrología a Estados Unidos. De una manera fascinante, los historiadores del ocultismo aprecian la existencia un patrón entre los tiempos de guerra y un mayor consumo de las tradiciones metafísicas. Rodeados de imágenes de muerte y el sufrimiento, a menudo nos preguntamos, con respecto a la vida: «¿Hay otro camino?».

Publicado en 1968, el mismo año en que fueron asesinados el reverendo Dr. Martin Luther King Jr. y el senador Robert Francis Kennedy, *Sun Signs*, de Linda Goodman fue un texto fundamental de la Nueva Era; uno de los muchos responsables del avance de este movimiento en todo el mundo durante los años sesenta. Fue el primer y único libro de astrología que se convirtió en un *bestseller* para el *New York Times* hasta su secuela *Love Signs*, también de Linda Goodman.

Muchos se preguntan si el momento actual que está viviendo la astrología supone un nuevo resurgimiento del interés por la misma. El artículo «Why Are Millennials So Into Astrology?» en *The Atlantic*, da a entender que el momento actual se caracteriza por un mayor consumo astrológico que antes. Puede que sea demasiado pronto para saberlo, pero no creo que exista un aumento irregular del interés por la astrología, sino más bien un enorme incremento del acceso a la misma a través de los medios digitales.

Lo que una vez se inscribió en setenta tablillas en la antigua Mesopotamia está ahora escrito y publicado en innumerables libros, sitios web, vídeos, podcasts, etc. Y este mayor acceso se produce en un momento muy parecido al de los años sesenta en Estados Unidos, cuando la mayoría de la juventud no está de acuerdo con las doctrinas de las religiones organizadas ni con la política del gobierno. Nada nuevo hay bajo el sol, ¿verdad? La astrología está demostrando una vez más la existencia de verdades complementarias y de que existe otra realidad en un momento complicado y difícil para el mundo.

2

CONOZCAMOS LAS LUMINARIAS Y LOS PLANETAS

E N UN MOMENTO DADO, EN TODAS LAS DIREC-
CIONES DEL tiempo, todos los planetas, así como el Sol
y la Luna —a los que damos el nombre de luminarias— se
mueven dentro de alguna de las doce constelaciones de los signos del
zodíaco, existentes desde el punto de vista de la Tierra. En esta fase
preliminar de tu aprendizaje, no es necesario que conozcas la mecánica
astronómica que explica cómo ocurre tal cosa, y basta con que sepas que
el reloj cósmico siempre está en marcha. Por ejemplo, en algo menos de
dos horas, la constelación de un signo se elevará de manera indefectible
en el horizonte más oriental de la Tierra. Así que, a lo largo de un día
de veinticuatro horas, todos los signos del zodíaco salen y se ponen. Es
algo que me resulta hermoso.

Las luminarias y los planetas son los elementos principales de la astrología. Familiarizarnos con ellos es la base para un estudio solvente, al menos
en esta escuela concreta de pensamiento. Para ayudar a comprender el papel

de los planetas y las luminarias, los manejaré en este libro como si fueran los músicos de una orquesta, ya que considero que la astrología es la sinfonía del Universo. ¿Y por qué no conectar metafóricamente la astrología —una materia que muchos consideran demasiado complicada e inaccesible— con la música? Es un arte que tiene, para cada uno de nosotros, una gran carga emocional.

Llevados de nuestro libre albedrío, podemos elegir escuchar o no lo que tocan los planetas. Si escuchamos con atención, oiremos a la orquesta tocar en armonía. Y habrá momentos apropiados para los solistas. Al imaginar los papeles de los planetas y las luminarias, considéralos actuando siempre juntos, aunque habrá momentos en los que el público centrará su atención en el solista de un planeta en particular.

Cuando un planeta inicia un movimiento retrógrado, es el momento de centrarse en el solista. Tal cosa es cierta, sobre todo porque los retrógrados son periodos favorables para el desarrollo personal. Aunque un Mercurio Retrógrado es el tránsito de esa clase más comentado en la cultura popular, todos los planetas llevan a cabo tal movimiento retrógrado. Un movimiento retrógrado es un momento crítico al que debemos prestar atención y atender a todo lo que el planeta en cuestión influye en nuestra experiencia vital. Cuando el impulso de un planeta deja de ser rápido y directo, tu horóscopo te está indicando que debes integrar las claves que ofrece dicho planeta en la toma de decisiones.

Para conseguir que tu aprendizaje sea exitoso, exploraré en primer lugar el papel de los planetas y luminarias a nivel personal, o en una carta natal, que significa «de nacimiento», explorando lo que detectan en tu astrología personal, así como en el nivel impersonal al que llamamos tránsitos.

Recuerda que debes imaginarte, a partir de ahora, que estás entre el público de un concierto. Las luminarias y los planetas serán para ti como músicos del Universo y la astrología serán su sinfonía. Una vez que hagas tal cosa, podrás encajar todo lo que aprendiste sobre planetas y luminarias con los temas de los signos que vamos a explorar en los próximos capítulos, y así podrás dominar las herramientas que necesitas para lograr éxito cósmico.

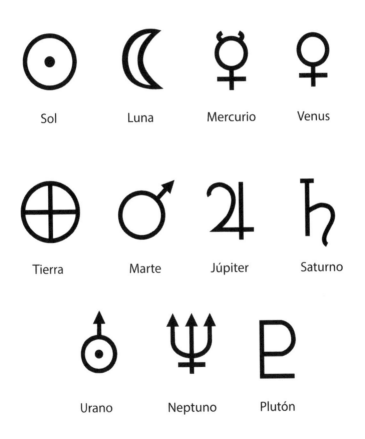

Sol   Luna   Mercurio   Venus

Tierra   Marte   Júpiter   Saturno

Urano   Neptuno   Plutón

LUMINARIAS
El Sol: Voluntad y autoexpresión

El Sol es el centro de nuestra galaxia, así como el centro brillante y ardiente de tu función astrológica. El Sol completa mensualmente un tránsito a través de cada signo zodiacal. Así que lo que se conoce como tu signo es aquel por el que transitaba el Sol en el momento de tu nacimiento. Imagínate al Sol como el director de la orquesta. La posición del Sol representa desde dónde recibimos nuestra «luz», nuestro entendimiento y nuestro poder dinámico. Podemos considerar la posición del Sol como un punto de acceso para comprender una estrella vital que nos guía hacia nuestro éxito particular. Cuando el Sol comienza un nuevo tránsito a través de un signo, cada treinta días, la percepción del zodíaco tiende a centrarse en las ideas que encierra ese nuevo signo.

La Luna: Intuición y emotividad

Hermoso epicentro de nuestro cielo nocturno, la Luna completa un recorrido por el zodíaco cada veintiocho días y medio. Pasa aproximadamente dos días y medio transitando por cada signo. Saber desde qué constelación zodiacal brillaba la Luna durante tu nacimiento resulta un asunto crucial. Porque nuestro signo lunar alberga precisamente eso. Rige sobre nuestro hogar, nuestro contexto de seguridad emocional y nuestra preciada relación con la familia y la figura materna. La Luna, como músico, es difícil de identificar en el escenario, pero puedes sentir y saber de manera instintiva que su música llena la sala de conciertos. Por eso, nuestro signo lunar es la zona cero de nuestras vulnerabilidades. El signo lunar es donde nos encontramos alojados en la alegría y la seguridad, pero también reaccionamos aquí desde el miedo: lucha, huida o inmovilidad. Dado que los tránsitos lunares pronostican los hábitos emocionales, persistir en nuestras ideas y proyectos en un ciclo lunar es una práctica de lo más eficaz.

PLANETAS

Mercurio: Conciencia y comunicación

Mercurio, el primer planeta de nuestra galaxia, es pequeño, rápido y sumamente cálido. Su proximidad al fuego del Sol lo convierte en el planeta más cercano a nuestro signo solar, por lo que Mercurio rige nuestra cognición. Mercurio define cómo percibimos nuestras vivencias, así como la comunicación verbal y no verbal, y también nuestra movilidad física. Puesto que tanto la comunicación no verbal como la verbal están en el centro de toda experiencia vital, los tránsitos de Mercurio son esfuerzos constantes, deliberados y acumulativos del Universo para ayudarnos a todos nosotros a elevar nuestras formas de pensar, hablar y escuchar. Por eso, me imagino a los músicos de Mercurio como a los que tocan los instrumentos de viento; se necesita una respiración tan precisa para tocarlos y para hablar/escuchar. Mercurio pasa aproximadamente tres semanas en cada signo, cuando está en movimiento directo. Puede retrogradar tres o cuatro veces al año para ayudarnos a fortalecer nuestra capacidad de entrega, liberación e integración de datos.

Venus: Armonía y placer

Yo diría que las materias que rige Venus —el amor romántico y el dinero— son la mejor invitación a profundizar en la astrología. ¡No voy a arruinarle la digestión a nadie al afirmar tal cosa! Como dice mi mentora astrológica Maria DeSimone: «… ¿a quién no le gusta que le den dinero o echar un polvo?». Venus, el segundo planeta desde el Sol, embellece nuestra relación con los demás y mejora la claridad de nuestra escala de valores, así como la forma en la que definimos nuestra seguridad financiera. Reconocido como «benéfico», Venus, de ser un instrumento, sería un piano. ¿Qué hay más hermoso que escuchar a un pianista? Los tránsitos de Venus suelen ser benéficos. Venus recorre un signo aproximadamente cada tres semanas y media. Nos ayuda a comprender las tendencias amorosas/relacionales presentes y futuras, y cuándo podría fortalecerse nuestra prosperidad financiera. Venus lleva a cabo un movimiento retrógrado cada ocho meses, durante aproximadamente cuarenta días. Son esos periodos de reflexión importantes, a la hora de revisar y reestructurar la dinámica de las relaciones, admitir disculpas y brindar perdón, y también asegurar la estabilidad económica.

Marte: Iniciativa y acción

El territorio del planeta rojo Marte es aquello que corre por nuestras venas. Es el combustible de nuestro sistema nervioso. Marte ilumina con su gloria y su fuego los lugares, las personas, las situaciones y los acontecimientos que hacen que cada célula de nuestro cuerpo se active. Podemos emprender acciones inspiradas por nuestras respuestas emocionales y vivir vidas enriquecidas por la valentía y el coraje. También explica nuestra conexión con la gestión de conflictos interpersonales. Por eso, Marte es la sección de percusión que mantiene el tempo y el impulso de la orquesta. Marte recorre cada signo durante aproximadamente cuarenta días. Tales tránsitos inspiran al zodíaco para emprender acciones reflexivas sobre tus motivaciones psicológicas y comprobar si dan el resultado deseado. Pero, como sabemos que cometemos algunos de nuestros peores errores cuando nos movemos demasiado deprisa, cada dos años se produce un movimiento retrógrado de Marte, de aproximadamente dos meses y medio, para ayudarnos a desarrollar el control de los impulsos y la paciencia.

Júpiter: Expansión y sabiduría

El planeta más grande de nuestro sistema solar, el poderoso Júpiter, recuerda al zodíaco que una inteligencia de altas miras fortalece nuestras capacidades y amplía nuestras posibilidades de excelencia personal. Como el relacional Venus, Júpiter es benéfico. Por tanto, este signo de Júpiter nos recuerda que «aulas», filosofías y fuentes espirituales benefician nuestro crecimiento. Júpiter, como músico, es la gran sección de metal, los instrumentos más grandes que la vida, tales como la tuba y el saxofón, sientan las bases de la sinfonía. Júpiter, el primer planeta exterior del que hemos hablado hasta ahora en nuestros viajes espaciales, recorre cada signo durante once meses y medio. Durante aproximadamente cuatro de esos meses, Júpiter retrogradará. Este tiempo retrógrado debe inspirarnos a todos para cerrar cuidadosamente cualquier libro teórico que estemos leyendo sobre autodesarrollo y aplicar la teoría de sus lecciones a prácticas de comportamiento para obtener una máxima retención de las mismas.

Saturno: Disciplina e integridad

No temas el caer de la guadaña de Saturno ni los escalofríos del cuerpo al oír: «Retorno de Saturno». Saturno regula las reglas. Nuestro signo de Saturno indica cómo atendemos a las reglas eternas de respeto, responsabilidad, disciplina e integridad. Por eso imagino a Saturno como la trompeta y los trombones. Informan al público de que la autoridad está presente. La peligrosa impopularidad de estos valores no nos anima a tomarnos la vida en serio.

Saturno transita un signo durante dos años y medio, en los que reestructura sus dominios, hasta que no nos queda más remedio que enfrentarnos de cara a cara con ellas o a aceptar su imperio. Si la integridad está ausente, la guadaña de Saturno corta bruscamente las ilusiones para que podamos empezar de nuevo. Gracias a las consecuencias de su influjo, Saturno retrógrado, que se produce durante cinco meses al año, nos da tiempo para reconstruir.

Urano: Alternativa y liberación

Ahora que has aprendido las reglas de Saturno, las rompes con la ayuda de Urano. Urano es emancipación. Identifica qué estructuras y normas sociales son semejantes a que un adulto lleve puesta la ropa de sus hijos y se la quite de un tirón. Urano es el único guitarrista que salta de la orquesta y lleva al público de la música clásica al rock más vibrante. Urano recorre un signo durante siete años e inspira posibilidades alternativas y libertad. Los tránsitos de Urano nos recuerdan que la innovación siempre está a la espera de aparecer si nos mantenemos curiosos, receptivos, adaptables y resilientes a su energía eléctrica. Urano nos recuerda que la única constante en la vida es el cambio. Cuando Urano retrograda durante cinco o seis meses al año, los signos del zodíaco están llamados a revisar sus actitudes y comportamientos en lo que respecta al cambio, la incertidumbre y la innovación.

Neptuno: Espiritualidad y creatividad

¿De dónde proceden nuestros impulsos creativos? Los antiguos argumentaban que de las musas divinas. Yo estoy de acuerdo con ellos. Creo que a todos nos visitan las musas de Neptuno en forma de imágenes, sonidos, sentimientos y momentos de inspiración. Esos golpes intuitivos de inteligencia sobrenatural son Neptuno dirigiéndote para que aportes tu creatividad. Neptuno es la sección de cuerda que te une a la familia del violín. Neptuno nada a través de cada signo durante catorce años, y su ubicación te recuerda que, aunque tu creatividad se alimente de alguna inteligencia de otro mundo, está destinada a ser dar servicio tangible en el mundo físico. Qué paradoja. El retroceso de Neptuno, que dura unos seis meses, te brinda la técnica para recibir la inspiración y ponerla en práctica.

Plutón: Intimidad y transformación

Seguro que los de la NASA son gente simpática y todo eso, pero no les hagas caso con lo de Plutón. Plutón sigue siendo un planeta en astrología. Plutón, el planeta más pequeño, a la par que el más lejano, rige el subconsciente, las ideas a las que nos cuesta acceder en nuestro interior. Yo comparo a Plutón con un arpista, ya que muestra una grandeza extremadamente sutil. Plutón transita por un signo durante una media de entre catorce y treinta años. Dado que las relaciones íntimas hacen aflorar nuestras historias subconscientes —en un contenedor teóricamente seguro—, la intimidad de Plutón nos permite transformarnos gracias a que llevamos las visiones del subconsciente a la consideración consciente. No hay momento más propicio para realizar el trabajo de sanación personal que durante el retroceso de Plutón, un viaje al inframundo que dura siete meses.

3

LOS ELEMENTOS ZODIACALES: FUEGO, TIERRA, AGUA Y AIRE

¡E NHORABUENA POR HABER COMPLETADO LA
LECCIÓN sobre luminarias y planetas! Ahora que ya cono-
ces a los músicos del Universo, escucharás con detenimiento su
canción. Como la música nos evoca emociones ante todo gracias a su sonido y
su letra, accedemos al arte a partir de tales conceptos. En astrología, primero
se nos presentan las energías de los cuatro elementos del zodíaco: fuego, tierra, aire y agua. Evocan la comprensión de situaciones expansivas que están
presentes en todas nuestras vidas. Los planetas se regocijan mientras tocan la
sinfonía del fuego, la tierra, el aire y el agua. Ejecutan juntos en una armonía
ordenada que brota desde el latido del Universo.

Aprender sobre los cuatro elementos del zodíaco es una forma útil de
entender los temas y patrones de cada signo, puesto que ya conocemos el
fuego, la tierra, el agua y el aire. Pero ningún concepto astrológico se da de
forma aislada. Por eso, la explicación de los elementos que aquí sigue no es solo
cronológica, sino también acumulativa. Para oír mejor las cuatro canciones,

escuchemos primero con el corazón e imaginemos las emociones que sentimos ante el fuego, la tierra, el aire y el agua. Puesto que el planeta es el músico y el elemento es la canción que interpreta, los signos del zodíaco se convierten en las historias que recordamos cuando escuchamos la sinfonía de la astrología.

Recordemos el poder del fuego. Rememoremos los momentos junto a la llama de una vela o un círculo de tambores junto al fuego. La gloria del fuego se debe a que brilla con sumo valor en el seno de un contraste de oscuridad. Piensa en la seguridad y el confort de la tierra. Es como la música del jazz en un día lluvioso de noviembre. Sientes que tu cuerpo vuelve a la tierra firme. Recuerdas lo fiable y consistente que es la tierra cuando revela su majestuosidad cada primavera. Es como un abrazo del universo. Cuando pienso en la gracia, pienso en el aire, en una brisa elegante que solo puede sentirse, pero no verse ni tocarse. El aire es la alegría de una respiración profunda en mis pulmones. Contengo la respiración y la retengo con fuerza para purificar el agua. A semejanza de las lágrimas que nos corren por el rostro o el torrente de sensaciones que nos causa la alcachofa de la ducha, nuestro respeto por el agua procede de su capacidad para limpiarnos. Nada nos restablece tanto como flotar en el océano bajo un sol de verano.

Con la canción del elemento sonando, conduciré a los músicos y al zodíaco por el desglose de los doce signos hasta su elemento correspondiente, para que puedas leer las historias que cuentan. Además, en este capítulo introduciré el concepto de luminaria y de dominio planetario sobre los signos del zodíaco. Recuerda conectar el propósito y las identidades de las luminarias, y de los planetas, con la explicación que vamos a dar sobre el signo zodiacal, para ver cómo se alinean tus constelaciones ante tus ojos, en estas páginas. Pero lo primero de todo, vamos con el calendario solar por orden cronológico:

ARIES, el Carnero: 21 de marzo-20 de abril

TAURO, el Toro: 21 de abril-21 de mayo

GÉMINIS, los Gemelos: 22 de mayo-21 de junio

CÁNCER, el Cangrejo: 22 de junio-22 de julio

LEO, el León: 23 de julio-23 de agosto

VIRGO, la Doncella: 24 de agosto-22 de septiembre

LIBRA, la Balanza: 23 de septiembre-23 de octubre

ESCORPIO, el Escorpión: 24 de octubre-22 de noviembre

SAGITARIO, el Centauro: 23 de noviembre-21 de diciembre

CAPRICORNIO, la Cabra Marina: 22 de diciembre-20 de enero

ACUARIO, el Aguador: 21 de enero-18 de febrero

PISCIS, el Pez: 19 de febrero-20 de marzo

FUEGO: PODER, VALOR Y CORAJE
Aries | Leo | Sagitario

El Universo entero tardó menos de un segundo en nacer. Menos de un segundo para el infinito. Los astrónomos han llegado a la conclusión de que la temperatura para crear el Universo fue de aproximadamente 100 000 millones de grados centígrados. Así que, antes de tener el tiempo, teníamos el fuego. Los signos de fuego, Aries, Leo y Sagitario, nacen con la majestuosidad, la gloria, el poder y el magnetismo del Big Bang que dio origen al Universo. Su resonancia inspira encanto. Desde un espectáculo de fuegos artificiales hasta una hoguera concreta o una vela encendida, los signos de fuego cautivan apasionadamente la atención de todo el mundo y se centra en su fiabilidad, su valía y su sabiduría. El fuego que arde en sus esencias les exige que demuestren al zodíaco cómo es una confianza sana y sagrada. Y al igual que una fila de tambores evoca una llamada a las armas, la canción que entonan las almas libres de todo miedo nos invita a comportarnos como ellas.

ARIES: Pionero | Seguro | Asertivo

Con la llegada del Equinoccio de Primavera, en un día perfectamente equilibrado entre la luz solar y la noche, los nacidos e influenciados por Aries son los primeros en debutar en el zodíaco con un optimismo equilibrado y capacidad de liderazgo. Al igual que el nacimiento del Universo, no hay otra forma de que Aries aparezca en la fiesta sin que un gran ¡BOM! insufle su espíritu animal, el poderoso Carnero con cuernos, y es así como el zodíaco se pone en marcha.

Regido por Marte, Aries hereda de los cielos el casco espartano, la espada y la armadura del dios Guerrero, para llevar a cabo sus misiones en la Tierra.

Los Aries afrontan sus vidas como batallas que hay que ganar con valor. Y con una sólida base de la «suerte del principiante», no pueden evitar imponerse con facilidad al enemigo. La energía de Aries alimenta su elemento fuego, llevándolos a dirigirse en línea recta a los lugares, las personas, los objetivos, las misiones y las circunstancias que son sus objetivos. «Yo soy...» son las dos primeras palabras escritas en el contrato de su alma. La identidad de Aries se reduce simplemente a eso.

Aunque el Universo da a Aries el permiso apropiado para explorar su identidad, los Carneros deben tener cuidado a la hora de expandir la conciencia más allá del Yo. Si no prestan atención, pueden quemar a las personas menos directas, más sensibles y lentas, con su impaciencia e ira. Es crucial que Aries recuerde que el éxito en su batalla depende de la colaboración, la inclusión, la comprensión interpersonal y la paciencia.

No confundas la estrategia de la misión de Aries o su «suerte del principiante» con la ingenuidad. Como nacieron primero, los cerebros de Aries están libres de asociaciones pasadas con heridas emocionales, victimismo e inseguridades. El sentido de valía personal del signo de fuego alimenta su ímpetu. Como no descargan en la conciencia colectiva «todo lo que antes les fue mal», lo único que pueden hacer es habitar el presente y mirar hacia el futuro. Suelen ser líderes en causas sociales porque su fuerza de fuego confiere a Aries la capacidad de diseñar posibilidades alternativas. Como nacieron al amanecer, Aries nos inspira a todos a empezar de nuevo. Es una lección de la escuela del pensamiento de fuego para todo el zodíaco. Nunca es demasiado tarde para ser quien no fuiste ayer, para vivir sin heridas y para alinearte con el poder que para vivir la vida que quieres, en el momento presente.

LEO: Carismático | Valiente | Fiel

¡Aclamen todos al monarca! En la cúspide del sol estival, la estrella de nuestra galaxia irradia orgullosa tras la constelación de Leo y hace brillar la majestuosidad de su eterno resplandor sobre los nacidos e influenciados por su realeza. ¿Podemos culpar de verdad a los Leo —el único signo zodiacal regido por el Sol, que es el centro de nuestro sistema solar— por tener una predisposición a la plenitud y la valía?.

Con la corona del Universo colocada firmemente sobre la cabeza de Leo, este miembro de la realeza se aclara la garganta, espera a que se haga el silencio en sus dominios y manifiesta: «Lo haré...». El fuego que arde en el corazón del León es el poder de las convicciones, de las creencias firmemente arraigadas. Dado que su sentido personal del trabajo es el menos susceptible de ser gestionado por partes externas, los Leo tienen la creencia que pueden alcanzar posiciones de autoridad, éxito e influencia. La convicción es un ardiente multiplicador de sus fuerzas. Cuando los Leo anuncian desde su trono: «Lo haré...», el Universo responde: «... y así será». Cualquier persona con un poco de cabeza sabe que las convicciones no son necesariamente concebidas por los fuegos de la rectitud, ni se utilizan de manera correcta. Si un gobernante Leo se apoya en tácticas autoritarias, sus convicciones son interesadas, dogmáticas y nada interesadas, de manera vehemente, a la hora de considerar otras posibilidades. Para brillar con la gloria de cien soles, los Leo deben aprender a compartir: a compartir el espacio de conversación, los recursos, la comprensión y el perdón con aquellos que están en su reino. Privilegiada, aunque gravosa, es la cabeza que ciñe corona.

Para fortificar los fuegos de su carisma, los Leo deben honrar la definición latina de coraje; en otras palabras, como explica la Dra. Brene Brown,

«…compartir aquello que alberga su corazón en toda su plenitud». Leo, un signo de fuego centrado en el corazón, es muestra del poder, que no del peligro, de la exposición emocional. Suponemos que silenciar nuestras emociones y convicciones nos da seguridad, pero ¿es así de verdad? No, si es que alguna vez has visto a un Leo confesar su amor sin pedir disculpas. Serás ungido por la Iglesia de la Vulnerabilidad. Verás que la potencia de fuego de Leo se mantiene encendida compartiendo su emocionalidad. Eso garantiza la seguridad de Leo. En el coraje reside la vida de Leo. Es uno de los momentos más valientes y fieles de la experiencia humana. El corajudo Leo es el primero en decir: «Te quiero».

SAGITARIO: Optimista | Auténtico | Sabio

Hacia el final del otoño, la temprana puesta de sol nos recuerda la alegría que nos promete el final del calendario. En las fiestas culturales de noviembre y diciembre, nos encontramos no solo con celebraciones comunitarias, sino también con la sensación de que nos esperan maravillas, milagros y una nueva vida, si decidimos aceptar lo que se nos ofrece. Y así, Sagitario tiene sus ojos de Centauro —la criatura mitológica, mitad humana, mitad caballo— puestos en el atardecer invernal que revela los dones de su estación, hasta que alza su arco y flecha en dirección a los cielos que nos gobiernan, donde Sagitario es el primero en ver las oportunidades que se intuyen para todos nosotros.

Descendientes de Júpiter, que favorece la fortuna y es benévolo, los Sagitario tienen una predisposición a percibir la oportunidad en todas las situaciones, sin excepción, lo que va unido a una búsqueda proactiva de la inocencia en el comportamiento de los demás, incluso si las pruebas se inclinan hacia la culpabilidad. Alimentados por la fuerza del fuego, los

Sagitario no temen decir las cosas tal como las ven, y comienzan su discurso con un «Yo creo...». Su legendaria forma de decir la verdad nos golpea como una flecha afilada entre los ojos. Después del choque inicial, verás cómo la autenticidad sagitariana sabe distinguir entre avergonzar a una persona y destapar un comportamiento de baja estofa. La sabiduría sagitariana sabe encontrar la diferencia entre juzgar y describir, ya que la época del año regida por Sagitario ofrece los regalos zodiacales de la misericordia y la ternura, y la promesa de un nuevo año.

Si se pone demasiado énfasis en el lado mitad-caballo del arquetipo de Sagitario, su energía ardiente es dispersa, hiperactiva, desentrenada y carece de la gravedad jupiteriana que es obligatoria para que sus aventuras encuentren los dones del ocaso. Si son demasiado cerebrales —ya que siguen siendo medio humanos—, los Sagitario pueden manejar totalmente ajenos a las corrientes emocionales subterráneas y acabar siendo manipulados de forma poco fiable por personas que pugnan por atarles a ellos.

La mayor gloria del fuego regido por Sagitario es que se aseguran de que todo el mundo —y me refiero literalmente a todo el mundo— tenga un sitio alrededor de su fuego de invierno. «Cuantos más, mejor...» es su *modus operandi* en muchas situaciones sociales y existe una verdadera sabiduría en esta estrategia social. ¿A quién no le gustaría estar cerca de alguien que se alegra de ver a todo el mundo?

TIERRA: COHERENCIA, FIABILIDAD Y SEGURIDAD
Tauro | Virgo | Capricornio

Cuando pensamos en una naturaleza coherente y previsible, resulta algo excepcional, en contraposición a un mundo material lleno de incertidumbre y caos. Confiamos en que las flores siempre florecerán en primavera, ya que están diseñadas para ello. Las hojas siempre se convierten en bellas artistas en otoño. En verdad, ¿qué hay más majestuoso que una montaña invernal? Reconocer estos emblemas de nuestra tierra tiene un efecto radical sobre nosotros. Nos protegen del miedo a la incertidumbre y nos mantienen anclados en el presente. La orquesta empieza a tocar su sección de metales. Los sonidos de las trompetas mantienen el compás, los trombones te recuerdan la tierra bajo tus pies y tu pie dominante da golpecitos como respuesta refleja a su ritmo. Así pues, la Tierra nos revela un Universo ordenado cósmicamente. Y sus manifestaciones representan la consistencia segura sobre la que opera. Los administradores de esta seguridad son los signos de tierra del zodíaco: Tauro, Virgo y Capricornio. Y su canción canta al confort de la seguridad. Gratitud cuando tu familia acude en tu ayuda, cuando un desconocido te ayuda a elegir el alimento adecuado para una receta en el supermercado, e incluso cuando un amigo se enfrenta a ti con las impopulares pero duras verdades para mantenerte a salvo.

TAURO: Estético | Tenaz | Paciente

El primer signo de tierra, Tauro —el toro apacible— te invita a disfrutar de las maravillas sensuales de tu propio Jardín del Edén en primavera. Las vibraciones, la energía, el ambiente y la atmósfera han sido cuidadosamente seleccionados, con la máxima calidad. Tauro ha seleccionado de manera metódica la banda sonora adecuada, una comida deliciosa y el cóctel clásico para este momento. Elegidas a dedo por Venus, las psicologías de los Tauro heredan las cualidades que la diosa del Amor adora, tales como la apasionada sensualidad de Venus y un ojo certero para el lujo, la lealtad y el *glamour*.

«Tengo...» afirma la voz de Tauro en su Jardín del Edén, mientras demuestra a los visitantes los bienes tangibles basados en la tierra que él aprecia y protege. Es fácil suponer que el gusto de Tauro es superficial, pero la Tierra ama lo que es intemporal. Lo que Tauro considera valioso se mantendrá en una relación segura, en todas las estaciones y edades de la Tierra. Profundamente arraigados, como un sauce en su Edén, los Tauro son tenaces no solo con lo que pueden sentir, sostener, tocar y saborear, sino también con las elecciones basadas en valores. Su comportamiento está firmemente enraizado en palabras tales como *digno de confianza, seguro, práctico* y *reacio al riesgo*.

Un valor que nunca está de moda es el dogma; la creencia de que «la certeza antes que la investigación». Los Tauro serían más que dignos de aprecio y enorgullecerían a la Madre Venus si defendiesen la curiosidad en lugar de la certeza, sobre todo cuando el contraste visita su Edén. No todos los extraños o disidentes son toreros. Recuerda que la rosa no tiene por qué competir con la peonía. Todas las flores, ideas y preferencias pueden florecer de forma segura y cooperativa en tu jardín.

La joya de la corona de la experiencia vital de Tauro es cómo informan al zodíaco de que los placeres de la vida están hechos para vivirse. Nuestro mundo estima de manera contraproducente este estilo de vida de «ocupado», que es una regla de hiperfuncionamiento y productividad por encima de todo. Tauro nos ayuda a recordar que, sin experiencias de los sentidos, nuestras vidas difícilmente llegarán a toda la profundidad a la que podrían. ¿Dónde estaríamos sin el arte de Tauro de un Shakespeare, que te cura el desamor? ¿O sin la canción elegida al detalle sobre un puente en la playa? ¿Sin el confort de un jersey de algodón sobre tu piel? Esto no es indulgencia para con nosotros mismos. Nos mantiene a salvo. Sin alegría, nunca conoceremos las experiencias más profundas y seguras de nuestra vida. Tauro nos conduce a esta seguridad y nos aterriza con suavidad para recibirnos en el Edén.

VIRGO: Meticuloso | Analítico | Reflexivo

Las hojas otoñales acuarelan la vidriera del campus. El verano se acaba mientras comienza una nueva estación. Un estudiante impaciente llega el primero al seminario con aspecto de concentración y preparación. Una vez reunido el conjunto de la clase, el profesor inicia el seminario con una pregunta. Tras un ajuste preciso de sus gafas y un brazo extendido hacia el cielo, Virgo dice: «Yo sé…». Aceptado por el mensajero Mercurio como alguien de mente brillante, investigador y orador a partes iguales, Virgo enseña al zodíaco que, comparativamente, hay pocas cosas que se puedan comparar con la comodidad de quien presta atención a los detalles y con la estabilidad de un erudito preparado y reflexivo.

Arquetípicamente, la imagen de Virgo es la Doncella de la Tierra sosteniendo la cosecha, representativa de su estación solar de finales de verano y principios de otoño. Con ojos académicos, se podría contextualizar a la Doncella como una idealización de la pureza, intacta a la penetración externa o a la corrupción. La cosecha simboliza la cima de las contribuciones del colectivo, aún intactas a la utilización. Regido por el estratega Mercurio, Virgo alberga la totalidad de la cosecha de la Tierra en su punto medio. Virgo tiene la tarea de utilizar estos recursos durante el invierno.

Con este deber mitológico que se le ha otorgado a Virgo, no hay problema que este no pueda resolver. El conocimiento obligado de la solución está arraigado en la forma en que las Doncellas abordan con responsabilidad el bienestar holístico. La supervivencia de la cosecha depende de los hábitos diarios y proactivos de los Virgo, que promueven la salud mental, corporal y espiritual. Si no se toman en serio, se producen terremotos en su psique y la autodestrucción es inminente.

En pocas palabras, si un Virgo controla su mente, tiene el triunfo asegurado. Hay una cura que conduce a la claridad: la práctica diaria de la meditación.

Aunque la tierra sólida bajo tus pies parezca inmóvil, el globo terráqueo siempre está en movimiento, y así ocurre con un Virgo, cuya mente está enterrada tras un exterior sólido, pero que se desplaza de manera reflexiva y orientada en la dirección que le lleva a la recopilación de datos, la resolución de problemas y la educación; aunque no lo hace para obtener elogios mundanos. La pregunta inicial del profesor planteó al seminario: «¿Por qué estamos aquí?». La respuesta de Virgo es: «Yo lo sé… estamos aquí para servir».

CAPRICORNIO: Disciplinado | Ambicioso | Magnífico

A finales de diciembre y principios de enero, la noche domina la Tierra. Junto con breves momentos de luz solar y ventiscas de condiciones duras, el invierno se percibe como un campo de entrenamiento para la resiliencia de nuestros músculos. Las montañas son parte de la iconografía del invierno. Si miras a lo alto y encuentras la intersección entre el cielo y la montaña, te saludará un Capricornio, junto a su criatura mitológica, la Cabra Marina, ambos erguidos en la cima de una montaña con el crepúsculo del invierno a sus espaldas. Preguntarse cómo se pueden vencer los miedos en un ascenso a alturas aterradoras en la Tierra, en medio de una adversidad helada, es una reacción inteligente ante la visión de un Capricornio.

Gobernado por el ambicioso y disciplinado Saturno, es poco probable que Capricornio te responda nada de inmediato, especialmente sobre los planes que ha desarrollado cuidadosamente para vencer el miedo. De la proximidad de Capricornio a gentes de delicadas sensibilidades, Saturno enseña a sus descendientes que todo ascenso hay que ganárselo... lentamente, lo mismo que llegar a la vista que ofrece la cima de la montaña. De hecho, fijaos en las pistas que nos brinda su símbolo, la Cabra Marina. La Cabra Marina, un animal mitológico mitad pez y mitad cabra, nada hasta el fondo del océano y trepa hasta la cima de las montañas. El secreto del éxito de Capricornio reside en el dominio emocional.

Obtener la maestría es un proceso largo. Si no se logra, Capricornio es inaccesible, innecesariamente cruel y negligente en la parte del trabajo emocional, centrándose perjudicialmente en símbolos más terrenales del éxito, tales como como el prestigio, el estatus y la riqueza. La cima inexplorada de Capricornio es la vulnerabilidad proactiva y la aceptación de la imperfección. De un discípulo del amor profundo a otro: supéralo, asúmelo y llévalo a cabo.

Hay una teoría astrológica que defiende que la cúspide de Capricornio es una unción de influencia, ya que su altura les hace estar más cerca del Universo. No es soberbia. Capricornio se ha ganado a pulso superar los requisitos de ambición, resistencia y sobriedad. La gente tiende a creer subconscientemente en esa imagen de líderes que perseveran, líderes dotados de soltura en terrenos emocionales y de disciplina cuando se enfrentan a las incomodidades mundanas del invierno. Cuando nadan y escalan, constatamos que lideran. El Universo confía en Capricornio. Y yo también.

AIRE: INTELECTO, RELACIONES E INNOVACIÓN
Géminis | Libra | Acuario

El único elemento que no podemos comprender del todo, si lo estudiamos con los sentidos físicos, es el aire. Su misterio es intencionado. Aunque no pueda tocarse, verse, sostenerse o ni siquiera saborearse, el aire hace patente su esencia. El aire es libertad. El aire no se revela a una mente que exige discernimiento. Es un elemento que inspira emancipación, transformación y conexión. En el coro del Universo, la canción del aire te libera y te vincula. Por eso, sus instrumentos son desenfadados y alegres. Y te colocan al borde del asiento. La canción del Aire desbloquea tus preguntas, curiosidades y conexiones. Te da el impulso de comprender, gracias al poder que tienes de pensar con libertad. El Aire es la energía que sopla con suavidad por entre las personas, cuando estas sienten una conexión de reciprocidad, tanto vista como comprendida. El Aire es la electricidad que hace patente la posibilidad de alternativa-abolición con respecto a normas anticuadas. Cuando los etéreos Géminis, Libra y Acuario alzan el vuelo hacia el cielo, invitan al zodíaco a comprender que el único que tiene autoridad sobre tu libertad eres tú. Así que el despegue comienza en 3…2…1.

GÉMINIS: Intelectual | Dinámico | Articulado

Un «¡Hola, amigo!», interrumpe el silencio, viniendo del aire. No hay nadie delante de ti. El tono de la voz te resulta familiar. Una brisa cálida te roza el cuello. «¡Silencio! ¡Están leyendo!», regaña una segunda voz, pero suena como la primera. No ves a nadie. Oyes el batir de las alas y el tenue roce de una pluma en el cuello. Un viento de invocación desciende a tus espaldas, seguido de un ruido sordo. Los gemelos Géminis han aterrizado. Uno te saluda con una sonrisa. El otro es severo. Pero el que era cálido ahora se retira. El gemelo estoico acaba de guiñarte un ojo. Sus sandalias aladas son lo único en común que encuentras en ellos.

—Soy Cástor. Este es Pólux. ¿Tú cómo te llamas?

Siendo la primera aparición del ser humano en el zodíaco, Géminis saluda al zodíaco, como gemelos que son, al unísono. Dado que el movedizo Mercurio está en el origen del linaje de Géminis, ellos poseen su velocidad, curiosidad e intelecto. Al obrar, los gemelos utilizan esta herencia para comprender las artes interpersonales. El territorio preferido por Géminis es el aire. «Creo que...» y sacarán la palabra adecuada, la pregunta oportuna o el tema e iniciarán un diálogo, esforzándose por entender a quien sea o lo que sea que tengan delante. Dentro de cada Géminis, hay un orador y un oyente. Con qué Gemelo te toque lidiar dependerá de tus habilidades verbales.

Pocos signos provocan tanta confusión como Géminis. Si bien los vuelos interminables de Géminis no conocen el descanso, lo cierto es que primero hablan cosas específicas, cambian de opinión mientras lo hacen y se olvidan de decírselo al oyente. Pero antes de que puedas llegar a sus tobillos para verificar eso, mientras se alejan, ya se encuentran a ciento cincuenta kilómetros de altura. Yo tatuaría la respuesta «Ahora mismo no lo sé. Te lo diré cuando llegue» en el brazo de cada Géminis si pudiera, para que los Géminis pudieran mantener la impecabilidad con su palabra. Si al oyente no le gusta, entonces, oh, espera... los gemelos ya se han ido y se olvidaron de quien nada les importa.

De hecho, la paradoja de Géminis, a la hora de entender su desapego, se parece a la propia definición de paradoja, «... aparentemente absurda, pero cierta». Sin embargo, la sabiduría del Universo es infinitamente inteligente.

Géminis no es un accidente. Piénsalo: la conducta relacional contemporánea confunde relación con propiedad y camufla confianza como certeza. El Aire es libertad y comodidad ante lo desconocido. Cástor y Pólux nos dicen que, aunque te sientas unido a otra persona, no tienes derecho a saberlo todo sobre ella. Y aunque comprendas ampliamente la psique de alguien, no tienes derecho a saberlo todo de la misma. Con ello, Géminis nos da a todos permiso para pertenecernos ante todo a nosotros mismos y surcar libremente los cielos.

LIBRA: Justo | Romántico | Proactivo

Hay un momento y un lugar para el escepticismo y la defensa, pero no ésta en noche. La cita que tienes para cenar esta noche te desarma de manera inevitable, sin importar el escudo que portes. La última vez que hablasteis, no podías creer los detalles privados que revelaste. Fue la calidad de su compromiso mental lo que te hizo sentir seguro a la hora de hacerlo. Un piano suave te invitó a ello en el restaurante. Tu cita llegó a la cena antes que tú, para así poder levantarse mientras te acercabas a la mesa y declarar: «¡He pedido tu plato favorito!». Por supuesto que se acordaba de cuál era. Solo tuviste que pedir tu plato favorito una vez. Dejas escapar una profunda exhalación. Con un Libra que te adora al otro lado de la mesa para dos, ahora estás completamente a salvo.

La atmósfera de una habitación cambia cuando la compartes con una persona con la que te sientes apreciado. Me gustaría pensar que Venus en persona está detrás de ese su Libra natal, que le entrega a tal Libra su espejo mitológico y le susurra: «... ahora, refléjales la belleza que ves, con este regalo, tal como te enseñé, cariño». Entonces, Libra se desliza elegantemente por la habitación para validar las cualidades que ve, con gracia y mediante palabras de afirmación. Si llega a ser necesario, Libra puede cambiar el espejo por el mazo del juez. Al fin y al cabo, el símbolo de la ley es la balanza. El de Libra también. Aunque seas inocente, hasta que se demuestre lo contrario, si infringes la ley de Libra, serás condenado.

Si los Libra no pueden apartar la mirada de su reflejo en el espejo, pueden colocar los valores de la vida donde no corresponde, en lugares sin sentido, como un enfoque malsano en la estética o la codependencia. Aunque Libra está astrológicamente obligado a conectarse socialmente, es importante que recuerde que las relaciones no son lugares a los que vamos para evitarnos a nosotros mismos. Son santuarios a los que Libra debe llegar sintiéndose lo más pleno posible, para compartir su plenitud con aquellos que también abordan las relaciones con reciprocidad.

Cuando un Libra dice «Amo...», conecta con un poder en el Universo que está más allá de lo que se puede definir o controlar. El amor se experimenta. Un Libra enamorado está obligado a enseñarnos cómo el romance es un arte y una técnica intelectual. Requiere un manejo equilibrado entre el espejo de Venus y el mazo del juez. El amor dice «sí» y el amor dice «no». Libra está bien cualificado para hacer ambas cosas.

ACUARIO: Humanitario | Independiente | Innovador

Respiras hondo cuando entras en espacios de trabajo. Los códigos de conducta tradicionales, la vestimenta uniforme y la atroz iluminación fluorescente resultan asfixiantes. Aguantas la respiración para poder sobrevivir. Observas el comportamiento de aquellos que son allí dominantes para llevar a cabo tu misión: mezclarte con ellos. Pero la atmósfera está viciada y no puedes identificar el pensamiento del grupo, así que la misión parece inútil. En el momento en que te rindes, un extraño con pelo fluorescente se cuela por la ventana. Un destello de color y textura brillantes corre a atraparte en la caída. Contigo en brazos, una estrella de rock Acuario proclama: «Me parece que no encajas en este lugar, así que te voy a sacar de aquí».

Muchas culturas tienen maneras de decir que aprender las reglas supone romper las reglas. O que encontrar al Buda es matar al Buda. Esta idea surgió probablemente en la antigüedad a partir de una tormenta eléctrica durante la estación de Acuario. Electrificado por el planeta Urano, el único dictado que tiene Acuario es no seguir ninguno que no ayude y/o incluya a todos. Acuario, como Aguador, está repleto de simbolismo, como todos los arquetipos zodiacales. El agua que Acuario lleva a la humanidad pretende desinfectar simbólicamente la ilusión de que estamos más separados que conectados. Aunque la tradición y los límites funcionan en teoría, sabemos por experiencia que esos valores se utilizan demasiado a menudo como antídotos contra el cambio y la colaboración. Los acuarianos buscan destruir esas barreras temporales y contra la conexión social. Son la chispa que nos conecta más allá del amor personal y romántico, con la comunidad global de la que todos formamos parte.

Si la copa del Aguador estuviera vacía de los conocimientos que le permiten tender puentes con los demás, se desentenderá intelectualmente y construirá barreras con su pasividad. La misión que tiene de celebrar las diferencias y vigorizar la moral del grupo requiere una propensión al pensamiento profundo. El Universo no ordena la dirección o la forma del pensamiento del Aguador, por lo que Acuario debe cuidarse de conocer la diferencia entre la contemplación y el abandono. La falta de compromiso no beneficia a nadie y menos aún al que abandona la fiesta. El compromiso ha de ser la primera y única regla que Acuario debe seguir.

Ahora que los acuarianos te han rescatado del minúsculo despacho y te han liberado de la camisa de fuerza de la uniformidad, señalan un globo terráqueo y dicen: «¿Estas fronteras? Las creó la humanidad. El Universo no. Imagino un mundo en el que...», y puedes oír el canto de la innovación, la pertenencia y la posibilidad alternativa.

AGUA: RECEPTIVO, CREATIVO Y SENSIBLE

El coro del Universo comenzó con el big bang y sus poderosos tambores, para que reinara el fuego. La gran sección de metales ayudó a la tierra a florecer al servicio de la seguridad. Los instrumentos de viento, de madera, desarmaron al público levantándose de sus asientos para caminar entre ellos, ofreciendo alegría y conexión.

Cuando se apagan las risas, la sala de conciertos se vuelve completamente negra. En el centro del escenario, solo una luz vuelve a iluminar a un arpista. Extendiendo lentamente las manos y los brazos, el arpista comienza a tocar. La canción cuenta una historia de desamor. Una lágrima cae sobre el instrumento dorado. Quieres llorar con el arpista, pero parece valiente y agradecido. Tu infancia y tu familia aparecen en tu mente. Te esforzaste tanto para huir de los mismos lugares y personas a los que pasas el resto de tu vida intentando volver. Recuerdas tu dolor. Cómo la «muerte» te llama a vivir con más vida. Con el arpista como músico y maestro, recuerdas cómo en el dolor del desamor has encontrado el poder de tu alma. Ahora sabemos que la gran final del zodíaco se juega en el océano. A orillas del mar, Cáncer, Escorpio y Piscis están de pie en las arenas, señalando hacia el océano, para que podamos encontrar el camino de vuelta a casa.

CÁNCER: Protector | Empático | Magnético

En los días que siguen al Solsticio de Verano, cuando el Sol brilla con su luz durante el día más largo del año, el Universo pide al zodíaco que lleve el brillo de la luz solar estival a comprender el poder de nuestros mundos interiores, la emotividad interior que reservamos para los más cercanos, cuando nos sentimos queridos. Ya sabemos que no hay lugar como el hogar. Por eso nos apegamos tanto a él si lo encontramos, o lo buscamos apasionadamente hasta que sabemos que lo hemos encontrado. Un hogar no es nada sin la sangre de la familia que ha sido elegida para llenar el espacio de risas, cuentos, perdón y amor. Sentado con orgullo a la cabeza de esta mesa familiar y escuchando atentamente a la dinastía que creó con tanto cuidado, está el primer signo de agua, Cáncer.

Aunque el calor de su estación estival es sensible al tiempo, los temas de la luminaria regente de Cáncer son intemporales. Los hijos lunares del zodíaco hablan al corazón en rápidos ciclos lunares. Cáncer es el Cangrejo guardián de la seguridad emocional a ultranza. Piensa en el vídeo viral del cangrejo luchando con un cuchillo en la pinza. Puesto que la mayoría define la seguridad emocional como el hogar y la familia, el hogar es el templo capital del corazón de Cáncer. Cáncer es el sumo sacerdote/sacerdotisa de su santidad, comenzando cada sermón con un «Siento...». El hogar y la familia ocupan nuestras aguas emocionales tanto en la pleamar como en la bajamar. Puesto que aprendemos nuestra regulación emocional y estilos de apego con la familia en la que nacemos, ese es, por tanto, el currículo de Cáncer que tenemos todos nosotros.

Si la luna está llena, un comentario descuidado y la presión atmosférica en la relación crean una tormenta perfecta, y Cáncer atacará. La mitología que presenta a Cáncer como pasivo-agresivo es ficción. Los Cáncer deben asegurarse de disciplinar sus estímulos emocionales, ya que pueden reaccionar peligrosamente cuando perciben una agresión. Aunque no pueden elegir el primer pensamiento que les asalta, sí pueden considerar conscientemente un segundo. El Universo quiere que los Cáncer construyan un hogar seguro para sus seres queridos, no una prisión para aquellos a los que consideran culpables.

Con poder, Cáncer, y solo Cáncer, es el signo que puede curar el corazón de un hogar roto y encarnarse en el amigo convertido en familiar del zodíaco. Si el mundo clasificara los valores por su importancia, el de Cáncer estaría contraintuitivamente muy por debajo, como demuestra la forma en que los humanos destruyen su propio hábitat doméstico y cómo guardan lo mejor de sus emociones para sus supervisores, colegas y críticos, porque los miembros de la familia solo tienen que saber que los quieren. Todo eso se acaba cuando la voz de Cáncer ilumina la conversación. Por eso su papel es tan importante a la hora de salvar el mundo. Puesto que el sentido de la vida reside en la familia y en el hogar, el Universo necesita que Cáncer tenga uno de los corazones más iluminados de la sala. No hay lugar como el hogar y no hay signo como Cáncer.

ESCORPIO: Erótico | Regenerativo | Leal

La sensibilidad gótica, presente en la muerte del otoño, se convierte en una obra maestra de la naturaleza. Las tradiciones anuales, la cosecha y los elementos decorativos hacen referencia a los muertos, al misterio y a los monstruos que están vivos y rondan por nuestro subconsciente. Sospecho que el Universo armó estos rituales anuales, ya que dirige la niebla desde lo alto del mar hasta las calles de la ciudad, la mayor parte de las mañanas de otoño. Mientras estás a la puerta de tu casa, puedes elegir entre el mundo interior seguro que ves y la exploración de los horrores exteriores ocultos en la niebla del mar. ¿Quieres quedarte dentro, donde estás a salvo, y no saber nunca la verdad de lo que hay fuera? ¿O abandonarás esta zona de confort para poder investigar tus miedos y transformarte radicalmente? En secreto, Escorpio espera tu respuesta.

Para muchos, Escorpio, como espacio, es algo lejano. Plutón, el regente planetario de Escorpio, es el más extremo de nuestra galaxia. Los antiguos astrólogos cruzaron el río Estigia para descubrir que las ideas regidas por Escorpio vivían en el inframundo. Las almas marcadas por Escorpio eligieron tener psiques propias de sus profundidades para caminar entre los vivos. Sin verdad, no puede haber profundidad. El habitante de la profundidad, Escorpio, afirma: «Confío en...» e identifica la sabiduría del abismo que pocos se atreven a descubrir por culpa del miedo. Vivir es sufrir. Amar es romperse el corazón. Soñar es fracasar. Escorpio invita a enfrentarse al dolor de estas verdades dentro de los corazón, ya que sabe que el dolor de la verdad nunca puede ser superado. Ahí reside la alquimia de Escorpio y su poder plutoniano. Cuando los Escorpio se enfrentan y acaban la familiaridad del dolor, encuentran la paz.

Si eligen anclarse en el regreso al infierno, los Escorpio descargan el dolor vengativamente, como el aguijón de un escorpión que sentencia a muerte. En sintonía con las realidades infernales, un Escorpio mal equipado se esfuerza por imaginar un mundo en el que las personas hagan lo mejor que puedan y sean dignas de confianza. No es razonable imaginar que el Universo asigne a Escorpio la tarea de comprender la oscuridad sin darle los medios para aprovechar la luz. Habiendo una asignación individualizada entre el Universo y cada Escorpio, estos solo necesitan preguntar quiénes necesitan entrega, disculpa, misericordia y/o confianza. El Universo les mostrará la línea de acción adecuada, mientras los Escorpio escuchan con atención.

Cada Halloween, imagino una charla entre el Ángel de la Muerte y Escorpio. Oigo a Escorpio preguntar a la Muerte: «¿Cuál es el sentido de la vida?». La figura encapuchada recuerda a Escorpio su intimidad con la sombra, las heridas y el dolor del colectivo. Por ello, a Escorpio se le confía el bálsamo curativo más potente para los que luchan: la comprensión de que, puesto que el trauma y la muerte son inevitables, nadie está solo en el trauma. Con tal empatía, los Escorpio utilizan su poder regenerativo para levantarse a sí mismos y a los demás de entre los muertos.

PISCIS: Altruista | Intuitivo | Adaptable

La evolución estacional que lleva del invierno a la primavera es, realmente, la época más mística del año. Lo que antes no tenía vida resucita. La nieve oscura se convierte en lluvia limpia. La luz azul y violeta penetra en el gris y el negro. La flexibilidad psicológica nos permite atravesar las alturas y las caídas en picado del último mes del calendario zodiacal en la tierra. Aunque tengo la impresión de que no estamos destinados a alcanzar esta flexibilidad ni a presenciar la resurrección de la tierra que se halla sobre el nivel del mar. Porque este tiempo está gobernado por descendientes de Neptuno, que nadan eternamente en la tensión entre la finalidad y el comienzo en el azul sin fondo. Los brazos del océano esperan nuestra llegada, para protegernos de la guerra del invierno contra la primavera. Para encontrar tal refugio, busca los ojos que cantan al mar. Pertenecen a Piscis. Y ahora tú también.

Yo diría que ningún signo del zodíaco es más paradójico que Piscis: desde los temas de la conclusión y el comienzo, hasta la iconografía de dos peces nadando en direcciones opuestas. Neptuno regala a Piscis un bálsamo para tal tensión en forma de una prodigiosa creatividad. Con la gloria del océano en el corazón de cada Piscis, crean una obra de arte, una maravilla, un movimiento o un mensaje que puede definir y llevar al colectivo a la trascendencia espiritual. Como no habitan en la tierra, ni en el fuego, ni respiran aire, los Piscis no son de este mundo. No se identifican con el cuerpo. Nacieron sabiendo identificarse con el alma. Con el tiempo, todos lo sabremos. Aunque Piscis es el último signo del zodíaco, ellos conocieron primero esta verdad espiritual. Por eso sus vidas pueden inspirarnos a ver la luz, el alma, el Buda, el Cristo en cada uno de nosotros mientras aún tenemos ocasión.

Si Piscis camina por tierra sin saber que nació del mar, su interpretación de la realidad se vuelve básicamente errónea y de expresión grosera. Así que sus relaciones, carreras y otros ámbitos mezquinos pueden ahogarse sin una exhalación profunda de claridad. La exhalación profunda se materializa en la percepción más articulada y la elección de palabras al dirigirse a los demás. Una vida de tensión para ser de este mundo, sin saber que no le pertenecen, puede llevar a un Piscis sin anclaje a verse arrastrado las corrientes de evasión, conspiración y automedicación. Ambos Piscis deben tener una política de baja tolerancia con los comportamientos emocionalmente autoindulgentes.

Puesto que un pez de Piscis se identifica de manera íntima con la mística marítima, la proximidad a sus congéneres permite que su sabiduría impregne el mundo terrestre. La sabiduría consiste en que solo el amor dado y recibido determine el valor de la propia vida. El amor que se alberga en nuestros corazones es lo último que nos queda mientras el mundo físico se transforma a nuestro alrededor. Con su creatividad, compasión y empatía, un Piscis puede ser el bote salvavidas del naufragio en que se ha sumido la humanidad.

Puedes oír el eco del arpista en el fondo del océano, llamándote de vuelta a la vida en tierra. Y, con una milagrosa bocanada de aire en tus pulmones, comienzas de nuevo tu ascenso. Comprendiendo los papeles complementarios de los elementos de los peces como partes necesarias ahora para la autorrealización, vuelves a estar entre el público de la sinfonía del Universo. «¡Otra vez!», exiges. Con un movimiento de la batuta del director, una obra maestra de perfecta armonía lleva a la audiencia al centro del latido del Universo, con el coraje de sus signos de fuego, la confianza de la tierra, las relaciones del aire y la transformación del agua.

Los músicos apoyan orgullosos su canción en el regazo y te miran con una resonancia que dice: «Tu aventura te espera». Recibes una sonrisa del Sol, un guiño de validación de Saturno, e incluso la Luna se pone la mano en el corazón para apoyar tu viaje. Así que te ves aclamado por la convicción de que el Universo está diseñado para apoyar la posibilidad más elevada que se alberga en cada signo del zodíaco y en ti mismo.

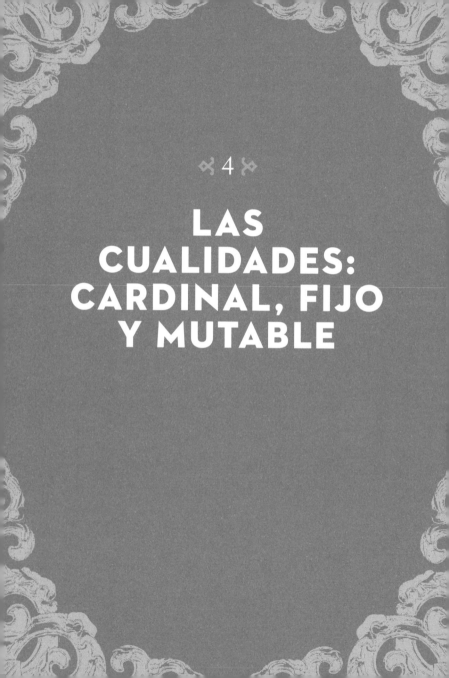

4

LAS CUALIDADES: CARDINAL, FIJO Y MUTABLE

EN LA TURBAMULTA POSTERIOR AL BIS DEL UNI-
VERSO, vas captando el relato acumulativo del zodíaco, el
estilo específico que tiene cada músico planetario y cómo la
contribución de cada uno de los signos es algo necesario para ejecutar
la sinfonía. Al salir de la sala de conciertos, das vueltas por el vestíbulo
con un aluvión de preguntas tales como: ¿Cómo se escribieron las canciones? ¿Cuál es su objetivo? ¿Por qué los ritmos eran diferentes? ¿Cómo
puedo aprender a cantar mi canción en concordancia y/o contribuyendo
a todo esto?

Un ligero golpecito en el hombro te saca de esa espiral. Es Mercurio.
Te das cuenta de ello porque los pies no tocan el suelo. «Toma esto. Todas
las respuestas a tus preguntas están aquí». Miras hacia abajo y recibes tres
trozos de papel de un brazo extendido, ya que con el otro sostiene el caduceo.
Levantas la vista para preguntar qué es lo que te han dado, pero Mercurio
ya no está.

Son tres páginas de partituras con cuatro signos del zodíaco escritos en cada una de ellas. Pero no están en orden elemental; cada una de las tres páginas tiene cuatro combinaciones de aire, tierra, agua y fuego. A continuación, te centras en el rompecabezas de notas, ritmo y clave, buscando las respuestas a las preguntas que se te plantean. Lo que consigues leer son los títulos, de una sola palabra, que están escritos en la parte superior de cada página. En la primera página pone «Signos cardinales»; está en el centro, en mitad de la segunda, «Signos fijos», y, en la última, se lee «Signos mutables».

Ahora que has escuchado la canción de los elementos y has vivido las historias del zodíaco, comprendiendo los mensajes codificados que hay en cada una de ellas, estás preparado para aprender cómo el Universo compuso estas historias a partir de las tres cualidades del zodíaco: cardinal, fija y mutable. En las tres páginas de la partitura están las notas, el ritmo y la velocidad de las funciones que el Universo quiere que cumpla el zodíaco.

Saber que cada signo del zodíaco es un doble vínculo de elemento y cualidad te ayudará a encontrar las respuestas a las preguntas que buscas sobre el éxito, las relaciones y el trabajo. El orden en el que Mercurio te entregó las partituras no fue casual. En la primera página, los «Signos cardinales» hacen precisamente eso: iniciar la canción del elemento. Los «Signos Fijos» centrales guardan el poder del elemento en forma del estribillo de una canción. Los «Signos mutables» concluyen con delicadeza y tienden un puente hacia el siguiente.

CARDINAL
Aries | Cáncer | Libra | Capricornio

Y así hay que comenzar con los cuatro signos cardinales del zodíaco. Estos iniciadores son los capitanes de cada elemento en el transcurso de las exploraciones en astrología. Suelen ser los que se adelantan a decir: «¡Yo voy primero!», ya que se sienten psicológicamente obligados a hacerlo y, por tanto, realizados. Deben marcar el camino para lograr su éxito individual, relacional y profesional.

Los cuatro signos vinculados a los equinoccios y solsticios, que dan comienzo a las nuevas estaciones —Aries en primavera, Cáncer en verano, Libra en otoño y Capricornio en invierno— albergan en su corazón la expresión más pura del elemento y la estación que encabezan en el zodíaco. Porque, ¿qué hay más optimista y puro que los comienzos?

Para continuar con la metáfora primaria de la música, escuchemos la partitura de «Signos Cardinales» que Mercurio te entregó como introducción de una canción favorita. Sientes un reflejo de suspense cuando oyes el comienzo de su música. No importa cuántas veces la hayas escuchado, la introducción hace que la canción vuelva a ser nueva en el momento actual, dándote la milagrosa oportunidad de comenzar otra vez. Y lo mismo ocurre con los signos cardinales.

ARIES Fuego Cardinal-Inicia la Identidad

Nadie es capaz de derribar la puerta de una habitación de autodescubrimiento como lo hace un Aries. O de hacer una entrada como el primogénito del zodíaco. Ya sea durante una conversación, un desafío o en un momento de lealtad, el carnero del zodíaco no tiene más remedio que lanzarse de cabeza, actuar por impulso, preguntar después o pedir perdón, pero no permiso. Son comandantes de los ejércitos dirigidos por el guerrero Marte, y creedme cuando os digo que Aries no se encarnó para hacer que la gente se sintiera cómoda o confortada. El comandante en jefe de los planetas les dio órdenes estrictas: «No causes daño. Pero no hagas prisioneros en tu búsqueda del amor propio, Aries».

No es ninguna sorpresa, pero el ritmo de Aries es muy rápido. Tu talón derecho golpea inconscientemente cuando ves a Aries ponerse en movimiento. Como primer capítulo del zodíaco y el primero de los signos de fuego, Aries tiene que moverse y luchar rápidamente por el Yo con una gran Y. Como Aries nos recuerda instintivamente, mientras estamos junto a ellos, podemos incendiar nuestras vidas si nos dedicamos a vivir sin una comprensión clara de quiénes somos. Dado que este capítulo se centra en cómo la combinación de elemento y cualidad contiene las respuestas al éxito en el trabajo y las relaciones —que son inherentemente colaborativas y conectivas por definición—, Aries, como signo principal del Yo, tiene una función interesante que desempeñar, tanto si interactúa bien como si lo hace mal con los demás.

La función más elevada del Yo de Aries es iniciar nuevas ideas sobre la identidad. Al haber nacido sin ansias de validación o legitimidad por parte de los demás, Aries puede brillar de forma independiente, con todo su esplendor. Aunque Aries no lo pueda ver, su ejemplo muestra al resto del zodíaco cómo es una identidad liberada de expectativas, de la necesidad complacer a los demás, de actuar y de perfeccionarse. Aries sabe que iniciar nuevos paradigmas de identidad no es un concurso de popularidad. Mientras luchan por lo que les apasiona, los Aries siempre te tienden la mano para invitarte a llevar a cabo una aventura similar de autodescubrimiento.

Esta función de identidad para la carrera profesional la llevará mejor Aries a cabo si trabaja como empresario o en un puesto de liderazgo en el que su espíritu innovador se viera apoyado y nunca socavado. Al dirigirse a sí mismo, Aries tiene el espíritu guerrero necesario para trabajar en solitario. Su carrera podría brillar a través de una cuestión de empoderamiento. La mayoría de la gente se apoya en Aries para obtener un impulso extra de confianza. Trabajar en el campo de la motivación podría ser un hermoso ámbito en el que el fuego de Aries brillaría todavía más.

En el campo de las artes interpersonales, Aries es más que capaz de apoyar leal y amorosamente a sus amigos, familia y pareja si comprende que su misión para consigo mismo depende de lo saludables que sean sus relaciones. Aunque aceptamos fácilmente la seductora noción de «necesito amarme PRIMERO a mí mismo antes de amar a los demás», eso no es del todo cierto. Es un mensaje que agrada a la multitud en las redes sociales, pero Aries se vería elevado por el Universo si acometiese el paradigma de identidad de: «Necesito amarme a mí mismo MIENTRAS amo a los demás».

La clave del éxito de las relaciones de Aries reside en el equilibrio. Les vendría bien repetirse el mantra: «Mis necesidades no son ni más ni menos importantes que las de mis seres queridos; son mutuamente importantes». La Canción de Aries es la canción de la independencia, la motivación, la belleza de la recuperación y de haber nacido así.

CÁNCER: Agua cardinal-Inicia la seguridad emocional

La vida comienza en el interior de la madre divina. Las estructuras de nuestra personalidad se construyen en el hogar donde todos albergamos los frutos dorados y las heridas de nuestro árbol genealógico. Siendo el primer signo de agua nacido de los océanos del Solsticio de Verano, Cáncer es la Madre Suprema del zodíaco. Su energía cardinal es el útero donde nos vinculamos con nuestra herencia emocional. No hay ningún signo del zodíaco que tenga la función de crear vida y familias como lo tiene Cáncer. Los hijos lunares del zodíaco son las comadronas entre el yo que imaginamos con nuestro cerebro racional y las personas en las que nos convertimos cuando nos guiamos por la sabiduría del corazón.

El ritmo de Cáncer es inconsistente, pero lo es de forma intencionada, por supuesto. Lo mismo que el cangrejo, Cáncer no puede embestir de cabeza ni trepar por la cima de un montículo. La velocidad de Cáncer es, por el contrario, producto de un paso lateral y un vals de ritmo medio. Su emotividad empieza un poco contenida, invitándote a la anticipación de una canción que se siente como una bienvenida a casa. Acelera el ritmo con el cálido abrazo de una figura materna o familiar en la puerta principal mientras tu cena favorita espera en la mesa del comedor. La canción en forma de oda a Cáncer alcanza su mayor pureza al saber que Cáncer está para honrar a los antepasados y se encuentra aquí para servir a sus descendientes.

El Universo asigna a Cáncer la gloriosa función de asentar la seguridad emocional en el contexto del hogar y la familia. El Universo se encarga de que esta funcionalidad divina se exprese independientemente del género o la sexualidad, al tiempo que Cáncer principia la maternidad y la reverencia a la familia. La conclusión de su tarea —independientemente del género/sexualidad o de la planificación familiar elegida/heredada— consiste en que los Cáncer abren nuevos caminos hacia la seguridad emocional a través de la red familiar. Deben iniciar nuevas formas de imaginar el hogar y honrar a la familia.

Si carecen de una trayectoria que les permita sentir un compromiso emocional significativo, es probable que los Cáncer sientan que no están satisfaciendo sus necesidades lunares. Puesto que la sensibilidad de Cáncer no cuenta con un interruptor de encendido o apagado, yo me imagino a Cáncer en un papel de servicio profesional en cuestiones de mujeres, bienestar infantil, protección medioambiental o incluso la industria cosmética. Cáncer es, sinceramente, muy feliz cuando ayuda a la familia o en el hogar, así que, si una trayectoria académica le garantiza tal contribución, el Universo maximizará su éxito. Las rutinas semanales que permiten a Cáncer descomprimir la gravedad emocional son esenciales para su bienestar.

Si quieres vivir con un Cáncer, pregúntale: «¿Me harías la persona más feliz del mundo casándote conmigo?», con un anillo de perlas. Son apreciables en el amor como si fuesen la joya favorita del océano. Y desearán un compromiso significativo como espacio seguro, antes de poder entregar las perlas de su corazón a pretendientes románticos. Siendo este leal, proactivo a la hora de satisfacer las peticiones de su pareja, generoso y protector, el cónyuge de Cáncer puede estar seguro de recibir lo que este propicia: hogar y seguridad. Un poco ansioso, Cáncer debe vigilar su impulso de reafirmación emocional, no sea que se transforme en control y codependencia. Aunque sea doloroso para el ego de Cáncer, pero beneficioso para su crecimiento, ejercer un sano desapego aumenta el deseo mutuo y apenas socava el éxito de la relación. Además, Cáncer se beneficiaría si expresase sus peticiones con claridad para que la pareja pueda consentir, negar o renegociar.

Desde el himno nacional de un país hasta una canción sobre el amor a la familia y al hogar, las canciones en honor de Cáncer ayudan a recordar que una base y una red de personas con las que es seguro compartir los éxitos y las vulnerabilidades son componentes esenciales para una vida con sentido. Aunque no podemos elegir las familias en las que nacemos, siempre podemos optar por mantener el corazón abierto para perdonarlas y crear nuevas familias.

LIBRA: Cardinal Aire-Iniciar la comprensión

«¡Todos en pie! El honorable Libra preside ahora la sala». Aunque no es el primero sino el segundo signo de aire a la hora de entrar en el zodíaco, el dos es el número de la suerte de Libra. El equilibrio entre dos es un logro que el honorable Libra está obligado a conseguir para el zodíaco. Las reglas de Libra, dictadas por Venus, proporcionan a ambas partes mediaciones de compromiso, negociación y situaciones de «ambas partes ganan» difíciles pero posibles.

Benefactor del bello equinoccio de otoño, la mente de Libra detecta que un viejo camino está acabándose y que uno nuevo debe comenzar. Su ritmo cardinal permite que un viejo camino se esfume de la canción. Libra inspira un cambio de clave a mitad de camino en la canción del Universo, sea esta una oda al individualista rudo o una marcha nupcial. Libra abre paso a un santuario de desarrollo interpersonal romántico, de escucha sin relación, pero sí de comprensión, y de posibilidad alternativa para la asociación comprometida.

La hora del día de Libra es a la puesta de Sol. En el hemisferio occidental, el Sol, como fuente dinámica de vida y voluntad de la astrología, mira con fijeza a la Luna en el este, nuestra recepción emocional y seguridad. A la hora del crepúsculo, el Universo pide a Libra que vele por que tanto las preferencias del Sol como las de la Luna se mantengan a la perfección. Con una misión de comprensión interpersonal que es tanto un don como una obligación, Libra es responsable de la transformación de conflictos, de ejercer el papel de abogado del diablo, de la igualdad y, sobre todo, de ayudarse a sí mismo y a los demás a crear el «receptáculo» para una relación amorosa en la que la luz y la sombra de ambos estén a salvo para albergarse ahí sin abandono.

El equilibrio es clave para Libra. Con una gran capacidad para la armonía estética y relacional, lo mejor que les puede ocurrir a los Libra es encontrar una profesión que le permita estar en equilibrio, por supuesto. Desde el diseño de interiores a los litigios, Libra se muestra competente en cualquier entorno que le permita encontrar creativamente la armonía y el entendimiento interpersonal. La labor que requieren las técnicas sociales brillantes e incluso las contribuciones artísticas no se detecta con facilidad en el pensamiento dominante del mundo. Libra haría bien en manifestar sus expectativas y límites, de la forma más proactiva posible, ante sus colegas e incluso supervisores. Porque. aunque su trabajo sea hermoso, no es fácil. Debe respetarse desde el principio para que los demás sepan con quién y con qué está trabajando Libra.

Los Libra son depurados artistas del amor y el romance, por lo que están obligados a comprenderlo y experimentarlo. Como tal, el Universo organiza la experiencia de los Libra para educarlos rápidamente en la teoría y la práctica del amor. Dado el carácter sagrado del romance, Libra debería avanzar lentamente con un compromiso serio, aportando el valor y el trabajo propios de una pareja comprometida. Puesto que creo que hacemos el trabajo más importante para cualificarnos para las relaciones amorosas cuando no estamos inmersos en una de ellas, los Libra deben otorgarse tiempo a solas para saber no solo quiénes son, sino también qué ofrecen a los afortunados pretendientes con los que se comprometen. Si te encuentras entre el sinfín de personas fascinadas por un Libra, sé romántico y socialmente amable. La anteriormente mentada piedra de toque de los límites también es esencial para los Libra en el amor. Los Libra deben articular de forma proactiva lo que está y no está bien para que las parejas puedan actuar con integridad en las experiencias de relación.

Una canción de las primeras etapas del enamoramiento es una canción para Libra. Cualquier letra o sonido que encarne la emoción de un nuevo nombre en tu vida que te ponga nervioso pero optimista es una canción compuesta por Libra. A veces, la visión de una cara adorada o incluso de un nombre en tu teléfono cambiará el tenor de tu día. Esa es la canción del Universo para Libra.

CAPRICORNIO: Cardinal Tierra-Inicia Estructura

Situado casi siempre en lo más alto del escalafón, Capricornio es supremo. No ha llegado ahí por casualidad. Siendo el último de los tres signos de tierra introducidos en el zodíaco, Capricornio comanda su tribu terrestre con dignidad y persistencia. Su regente, Saturno, espera que mantenga la excelencia y, dada la ética de trabajo presente en sus inevitables logros, Capricornio tiene muchas cimas que alcanzar. Con su doble simbolismo (La Cabra Marina que nada en el océano y escala la tierra), Capricornio marca un ritmo doble similar en el zodíaco. Lo cardinal es una energía rápida, pero la tierra es más estable, por lo que el ritmo de Capricornio es intencionada y estratégicamente lento al principio. Cuando te acostumbras a su suave consistencia, se convierte en una fanfarria acumulativa e inolvidable que rinde homenaje al trabajo bien hecho; una canción para el zodíaco que te ayuda a comprender que solo la paciencia infinita produce resultados inmediatos.

Creo que todo Capricornio debería tener una lista de reproducción de desfiles o bandas de música militares mientras planea su éxito. Al igual que esos sonidos nos alertan de que alguien se acerca, la función de Capricornio es la de generar la estructura. Su sistema de pensamiento, sumamente pragmático e hiperfuncional, contribuye al colectivo ofreciendo organización en lugares que carecen de enfoque, responsabilidad, expectativas ejecutadas y confianza. Con su mezcla de dominio emocional y psicológico, los Capricornio están más cualificados que nadie para implantar la coherencia, la capacidad de dependencia y la reciprocidad en lugares que se encuentran en «los mundos de Yupi».

Los Capricornio imaginaron el trabajo de sus sueños antes de saber gatear, pero aquí aludiré al coro de Cronos. La vida de los Capricornio parece depender de lo eficientes, estimadas y significativas que sean sus experiencias profesionales, ya que Capricornio está profundamente obligado a liderar y servir a través de sus experiencias laborales. Cuando se trata de en qué consiste su trabajo, es cualquier cosa de la que puedan imaginarse hablando toda la noche. Sus pasiones son individualizadas y autodirigidas, así que no necesitan mi ayuda para decirles adónde ir. Les recordaré la paciencia que Saturno exige a sus descendientes en caso de que se sientan insatisfechos, si no ocupan puestos de liderazgo o autoridad. Si es necesario, están más que cualificados para iniciar nuevas empresas profesionales como fundadores y directores generales. ¡Han nacido para liderar!

Pero no todo es trabajo y nada de diversión. Cuando por fin llega el momento de que un Capricornio invite a alguien, más allá de los anillos de Saturno que protegen su precioso corazón, La Cabra Marina comparte ese mundo que se ha construido con su otra mitad. En privado y de forma muy tradicional, Capricornio ama leal pero lentamente. La estructura de una relación nunca se crea de la noche a la mañana. Proporcionan a su pareja de poder actos de servicio muy demostrativos, pero responsables y considerados, que contribuyen a su bienestar. Si le has echado el ojo a un Capricornio, hazle ver, no oír, que eres un compañero del que puede sentirse orgulloso. Se descubren a sí mismos a través de personalidades que resisten el paso del tiempo. Algunos rasgos que querrán enterrar son la hipercrítica y la inaccesibilidad emocional. Dando *feedback* a sus compañeros, le resultará positivo a Capricornio, siempre que eso vaya acompañado de la afirmación. La revelación emocional en el momento adecuado también salvará a Capricornio de una crisis amorosa.

Cuando pienso en canciones para Capricornio, oigo músicas del tipo *Pomp and Circumstance o Hail to the Chief.* El ritmo, la parafernalia y las letras que promueven los logros y el éxito parecen haber sido diseñadas por Capricornio. No porque Capricornio tenga éxito en términos mundanos o en lo tocante al estatus, sino porque es un testimonio de momentos de compromiso, de terminar lo que se empezó y de recibir la piedra angular del compromiso emocional y psicológico en la experiencia humana; y eso es algo de lo que sentirse orgulloso. Enhorabuena.

SIGNOS FIJOS
Tauro | Leo | Escorpio | Acuario

Con la procesión inicial de los signos cardinales ya completada, pasas a la segunda página de partituras, llamada «Fijos». Siguiendo el camino trazado, Tauro, Escorpio, Leo y Acuario tratan de preservar y proteger las energías que portan.

Los signos fijos son el impulso que nos empuja hacia la meta. En el año natural, su mes solar alberga el punto álgido de cada estación, ya que nacen en el centro. Por eso son campeones del elemento que encarnan. Nacer dentro de los signos fijos del zodíaco permite aprovechar la identidad más centrada y el poder de la tierra, el fuego, el agua y el aire.

En las canciones, me gusta imaginar la identidad de los signos fijos como un clímax o estribillo, ya que estos momentos tienen prioridad para enfatizar el punto una y otra vez, y devolver al oyente a la concentración. En una cultura global que evoluciona cada vez más deprisa, los signos fijos tienen la tarea de identificar lo que es necesario preservar en medio de los cambios que el mundo provoca, lo que es una tarea ardua dada la velocidad de la modernidad, pero el Universo designó a los signos fijos por su tenacidad, autodirección y fuerza de voluntad para manifestar la función que el Universo les ha asignado.

TAURO: Valores fijos Tierra-Cuerpo

Cuando pienso en la encarnación más plena de la riqueza, la seguridad y la estabilidad, pienso en la Tierra. Los recursos que proporciona a la humanidad son difíciles de comprender, habida cuenta de su inmensidad. Así que busco ayuda en los toros del zodíaco. En las convicciones del primer signo de tierra del zodíaco hay un estado similar de abundancia infinita. Las convicciones de Tauro son un recurso que estos encarnan de manera poderosa, con la esperanza de que puedan proporcionarles riqueza, seguridad y estabilidad, tanto a ellos mismos como a sus seres queridos.

Elegido por Venus para encarnar sus filosofías favoritas, Tauro tiene un ritmo lento, constante y hermoso. Aunque la majestuosidad de la primavera florece a tu alrededor, cierras los ojos para escuchar la canción de Tauro. El arrebato te estrecha y la consistencia del ritmo de la tierra fija responde a tu curiosidad. Esperas que la obra maestra no termine nunca y que tu plegaria sea escuchada. Así es. El tono clásico de Tauro toca en un espacio de tu corazón que te recuerda el amor, la pertenencia, la seguridad y momentos en la experiencia humana que se aprecian en todas las direcciones del tiempo, entre todas las personas.

El Toro es el guardián elegido de las convicciones que el Universo ordena que se preserven, tales como la seguridad personal, los recursos fijos de la Tierra, la divinidad de la belleza y las artes estéticas. Pues la misión más elevada de Tauro es encarnar los valores del Universo. En su carrera profesional, el Tauro puede honrar la tarea preservando lealmente la estabilidad financiera, la reverencia por las artes, la creatividad y el romance. Pueden enseñar el valor de las cosas mencionadas mediante el ejemplo y no el proselitismo. Tauro es la encarnación de lo que significa apreciar una base de seguridad, estabilidad y coherencia en cualquier camino profesional al que se sientan llamados. Dado su enfoque fijo, su persistencia es una poderosa fuerza de la naturaleza. Sin embargo, su evolución depende de cómo asimilen la disensión, la retroalimentación y la autoridad. Tauro debe mostrarse curioso y no conflictivo, cuando se enfrenta a los contrastes.

Hijo cariñoso de Venus, un Tauro enamorado es una gloria. Sin esfuerzo, protegen, enamoran y aprecian profundamente a su amada. Valores interpersonales como la lealtad, el compromiso y la confianza crecen orgánicamente en sus corazones regidos por Venus. Su ritmo es constante, pero no empieza rápido. De corazón paciente, los Tauro tardan en entregar su corazones y son lento para recibir el de los demás. Este es un valor que Tauro encarna, porque el amor se gana lentamente por respeto a su poder, no por negligencia. Cuando recibas una invitación a acceder al corazón de un Tauro, debes saber que no se trata de una fiesta casual, sin sentido o coqueta. Es para una persona que aprecia la calidad y la fiabilidad de por vida en un mundo falso e inseguro. La pareja podría ayudar a Tauro recordando que el amor no se traduce en propiedad, sino en colaboración, crecimiento y evolución.

Las canciones de devoción, inversión emocional y lealtad son odas a los Tauro de tierra fija. Encarnan este valor, porque todo corazón anhela a otro con quien sentirse seguro. Y todas las manos buscan algo que tocar y sentir cuando el peligro está cerca. Los sones de los Tauro, encarnando sus valores, son una invitación a encontrar esas definiciones dentro de uno mismo y de la mano de otro. Juntos, podéis demostrar seguridad para que el mundo lo vea.

LEO: Fuego Fijo-Encarnando la Dignidad

Estrella central de nuestra galaxia, el Sol proporciona el fuego fijo para la vida, la nutrición, y el poder en la Tierra y para sus habitantes. En los meses en que el Sol ejerce su dominio, también Leo debe brillar entre nosotros. Leo, el segundo signo de fuego del zodíaco, mantiene el poder de su majestuoso elemento en una concentración muy focalizada. Piensa en la eternidad. Eso es Leo: un fuego que nunca puede apagarse. Simbólicamente, el fuego se asemeja al poder, la fuerza vital, el carisma, el impulso y la motivación. En la corte real de los nacidos e influenciados por Leo, los Leones heredan estas joyas reales en la corona que a su vez adornan con rectitud.

El ritmo de Leo resuena como los latidos de un corazón, lo cual es algo apropiado, ya que el corazón es un órgano regido por Leo. Al igual que ese preciado músculo puede cambiar de ritmo en función de las emociones que estemos sintiendo, el ritmo de Leo está vinculado a la inteligencia del corazón.

El ritmo recuerda a los Leo que son dignos y, por lo tanto, su función más elevada es encarnar la dignidad.

Esta es, de veras, la línea vital de una vida con sentido. Lo que los Leo deben recordar y demostrar es la convicción de que son dignos de amor y pertenencia. La vanguardia de la ciencia social sobre cómo vivir una vida plena señala que el requisito previo y necesario consiste en creer en nuestra valía inherente. Cree que eres digno y así será. Leo encarna la valía en el trabajo, teniendo el valor de innovar, experimentar, fracasar, levantarse y repetir. Una posición profesional que se presta a algo así es el liderazgo. Imagina a Leo como el oficial al mando que mantiene un estándar de valía tan incondicional que su empoderamiento deja espacio para que asome también la brillantez de sus colegas. No te equivoques; cuando un Leo hace una afirmación, realmente saca a relucir lo mejor de la persona que tiene la suerte de escucharla.

Toda realeza necesita de otro monarca para sentirse seguro en el terreno amoroso, por lo que Leo suele enamorarse de líderes magnéticos y decididos. El León a menudo puede oler el miedo y también cuando alguien es demasiado manso para su gusto. Leo se enamora ante todo de alguien que brilla con luz propia. En el amor, Leo es generosamente romántico, leal, asertivo y el mejor guardaespaldas emocional. No les gusta admitirlo, pero se encuentran inermes ante la afirmación verbal. ¡No has oído hablar de mí! Pero Leo podría encajar el que le dijesen que el orgullo es el más notorio de los siete pecados capitales. Así que deben asumir el hecho de que los más valientes de todos tienen el corazón roto, justo porque tuvieron el coraje de dejar de lado su orgullo. En el amor no hay garantías. Ama de todos modos, Leo.

La acción de encarnar con éxito la valía es sumamente importante para Leo, porque es una decisión que todos debemos tomar, si deseamos tener una vida plena. Puesto que el León del zodíaco nace sintiéndose merecedor de lo mejor de la vida, puede demostrar al zodíaco cómo es una vida liberada de la inseguridad y el sufrimiento paralizantes. Por eso el Universo los designa para el trono. Las canciones de coraje, confianza y empoderamiento siempre están dedicadas a Leo, cuya canción nos inspira a sentarnos en el trono de nuestras propias vidas y a comprometernos con él desde un espacio seguro de valía.

ESCORPIO: Fijo Agua-Intimidad cuerpo

Imagina el poder del océano terrestre albergado en una sola gota de agua: la inmensidad del contenido del elemento, como la emocionalidad, la transformación, la creatividad y la fantasía, todo en una sola gota. Nacido en pleno otoño, Escorpio encarna el momento más sagrado de la transformación personal. Aunque no es el último signo de agua del zodíaco, Escorpio sí tiene la última palabra; la invitación o el rechazo en función de tu esfuerzo por comprender el crecimiento y la evolución personales. Aunque son de agua fija y, por tanto, se centran en un elemento, los Escorpio actúan como guardianes entre dos mundos.

El ritmo de Escorpio se acerca sigilosamente. Es un *crescendo*. Su canción no comienza de forma audible, pero tu oído interno sabe que un sonido está sonando en los éteres invisibles. La canción te invita a entrar y lo hace usando la seducción. Como signo fijo, tiene un ritmo que se mantiene constante, pero el volumen no. Sube y baja. Esto te ayuda a comprender la misión del Universo para Escorpio: la encarnación de la intimidad. Considerar a Escorpio como puramente sexual es demasiado simplista. Escorpio encarna la intimidad, que puede ser sexual o erótica. En la búsqueda profesional, su intimidad sirve a un propósito. Escorpio se sumerge hasta lo más profundo en la psique para indagar sobre heridas y dones. Mientras Escorpio investigue, sane y se comprometa tanto con la solución como con el problema, su contribución a las industrias profesionales será inestimable. Por el camino, Escorpio podría impulsar su carrera revelando proactivamente por qué hace lo que hace. Un poco de revelación ayuda mucho en la colaboración y con los equipos. Y hablar con franqueza conduce a la comprensión.

Dada su capacidad para albergar la totalidad de las emociones en su resonancia, la misión de Escorpio le sostiene a la hora poder manejar los altibajos en el amor, que es la base de la intimidad. El perfeccionismo es una desventaja personal y romántica. Escorpio está hambriento de sus propias alegrías y vergüenzas. Son los puntos fuertes, las heridas y la honestidad radical, lo que busca en el corazón del otro. Escorpio es una persona que se acerca lentamente. Investiga cuidadosamente el potencial, ya que es lo bastante sabio como para conocer la gravedad de su amor cuando se les ofrece. Para ganarte a un Escorpio, profundiza. Lleva el diálogo a las profundidades de la experiencia humana y demuestra con qué agudeza examinas los altibajos, el amor y el miedo presentes en la experiencia humana. Si un Escorpio te considera digno, te conviertes en el benefactor de una pareja que puede apoyarte en lo más profundo de tu ser, ya que no huirá de tu sombra ni atenuará tu luz. En este proceso de intimidad encarnada, los Escorpio se permiten a sí mismos y a su pareja transformarse, porque utilizan la relación para el crecimiento personal y la confianza. Si están demasiado fascinados con la oscuridad, los Escorpio combinan el amor con el escepticismo y la negación de la confianza, a los que convierten en su mecanismo de defensa favorito, aunque solo les defiende de la propia experiencia que anhelan. Los Escorpio deben suspender la búsqueda de la culpa y la traición, o se encontrarán paranoicos y solos.

Una bendición al Yo recién transformado, una marcha por la valentía y la adversidad conquistada, honran los temas de la canción de Escorpio. Como encarnación de la intimidad, Escorpio tiene la capacidad de reconocer la sombra e identificar la oscuridad, pero trasciende esa oscuridad y la muerte con resiliencia, determinación y concentración. La intimidad necesita de la pareja porque las personalidades y las relaciones son ambas cosas. La energía entre los dos es el poder fijo del agua que ofrece la fuerza del océano para limpiarte de sombras pasadas y darte la bienvenida a lo nuevo.

ACUARIO: Aire Fijo-Comunidad Encarnada

¿Puede un elemento como el aire encontrar una ubicación central fija? Por supuesto que sí. Hay que comparar el aire con la mente para crear una conexión adecuada. Existe un enfoque fascinante en muchas escuelas de pensamiento espiritual que propone la idea de una conciencia colectiva. Esto significa que dentro de la mente de cada persona hay un conjunto fijo de imágenes e impulsos que todos los humanos tienen en común. Imagínatelo. Un denominador común a todos nosotros. No es descabellado imaginar a la humanidad compartiendo necesidades irreductibles de forma comunitaria. Y el guardián de esta comunidad es Acuario.

Pero ocurre que el ritmo de Acuario es disruptivo de manera intencionada. No tiene ninguna responsabilidad con una percepción de lo que el tiempo justo, la melodía y la composición consideran apropiado. Los sonidos van de un instrumento a otro, de una esquina a otra. Es subversivo. De todos modos, cuestionas las reglas del ritmo y la coherencia mientras disfrutas de esta sensación marginal. Es el fundamento del don de Acuario. Cuando los límites superficiales y la separación se disipan con la electricidad de Acuario, te das cuenta de que lo que queda es lo significativo: nuestra humanidad compartida. Acuario encarna este colectivo.

Una encarnación así puede funcionar en el trabajo. Con una inteligencia decidida, Acuario está obligado a traspasar la idea de la particularidad separada dentro del colectivo y ayudarnos a todos a darnos cuenta de que somos como los demás. Mediante una serie de medios, tales como la narración, la canción o cualquier acción altamente cerebral, el mejor trabajo de Acuario señala el camino hacia el punto de tu mente que tienes en común con la mía. Las historias que crees que te son tan propias tuyas son las que todos tenemos en común. Mediante el ejemplo que da Acuario, la humanidad se da cuenta de su conectividad compartida y entonces es probable que haga de la Regla de Oro el principio fundamental. Porque, si lo hacemos, nos liberamos. Con ideales tenaces, Acuario necesita mantenerse centrado y curioso ante la disidencia. Cuestionar, interpretar y analizar el contraste permitirá a Acuario hacer honor a su misión, pero incluyendo a todos.

Un signo fijo de aire que conecta con todo el mundo, y lo hace con el más alto estándar de excelencia, se enamora de una manera hermosa. Acuario se enamora para convertirse en un espacio de desarrollo para su amado. Sin propiedad ni posesión, porque poseer a una persona nos limita a todos, a los ojos de Acuario, Acuario ama con sano desapego, con reverente lealtad, generosidad y curiosidad intelectual respecto al crecimiento de su pareja. Un Acuario presta atención de manera tan intensa que tú mismo te conviertes en quien estás destinado, a ser a través de su amoroso conocimiento. Su amor es altamente intelectual, así que haz que luzca tu mejor comunicación verbal y brillantez para que el Acuario note que te fijas en él. En el terreno amoroso, un poco de urgencia proactiva podría servir. Como nunca quieren limitar la libertad, pueden parecer a quienes les pretenden distantes o demasiado desapegados. Una labor emocional proactiva podría ser la clave para desbloquear la reciprocidad y las preferencias de la pareja.

Cualquier canción que rompa el unísono e inspire la individualidad colectiva pero desatada está destinada a Acuario. Si esto es algo que te parece estrafalario, es porque lo es. Las odas a las grandes reuniones de personas diferentes para unirse y sostener la identidad colectiva singular son compuestas por un Acuario. Darse la mano con desconocidos en un concierto o llorar con uno de tales en el cine son momentos Acuario. La función que cumple Acuario es tan preciosa porque todas las grandes escuelas de pensamiento espiritual apuestan por estos momentos de humanidad compartida como la cura para nuestra crisis de desconexión. El aire fijo nos recuerda que estamos inextricablemente conectados a través de nuestras mentes, por lo que debemos ser más justos en la forma en que tratamos a todo el mundo.

SIGNOS MUTABLES
Géminis | Virgo | Sagitario | Piscis

En el momento en que se llega al primer segundo después del último estribillo de una canción, aparece un signo mutable: la conclusión de la canción que contiene la amalgama de las introducciones de los signos cardinales, el estribillo fijo y una hermosa revisión. En la página de los «Signos mutables» podrás leer cómo su composición no se parece a nada que hayas visto antes. Pues contiene múltiples dimensiones. Es la única partitura con revisiones manuscritas. Allí se registran la mayoría de los cambios de clave y las transiciones que honran los grandes finales de los siempre cambiantes Géminis, Virgo, Sagitario y Piscis.

Los signos mutables son las cuatro mayores paradojas del zodíaco. Recuerda que, en un año natural, sus estaciones son dos en una. Por tanto, permanecen muy distanciados de los escenarios singulares. Esta distancia confiere a las mentes mutables una orientación armonizadora y una capacidad para abrazar verdades aparentemente absurdas pero paralelas. No les gustan los métodos del tipo «o lo uno o lo otro». Ofréceles «una cosa o la otra» y te ganarás su respeto infinito.

Hasta ahora hemos hablado de muchas verdades espirituales y de cómo el zodíaco las contextualiza. Los signos mutables ponen de manifiesto la verdad de que lo único constante es el cambio. El algo que sabemos a nivel intelectual. Pero, ¿con qué frecuencia nos permitimos adaptarnos a esta verdad? De lo personal a lo político, sabemos y no sabemos. Tal es la esencia del signo mutable. Por eso su canción puede salvar el mundo.

GEMINIS: Diálogo Aire-Transición Mutable

Lo peor del invierno ha quedado atrás. Se acabó la soledad. Ha llegado la primavera y se acerca el verano. Las ventanas están abiertas. Entra aire fresco. El aire está en todas partes. La energía mutable es ambas cosas a la vez. Es una combinación perfecta para el elemento aire. Hablando de dos, recuerda a tus amigos los gemelos Géminis, los que no paraban de dar vueltas a tu alrededor con preguntas, observaciones y un descarado sentido del humor. Aunque los gemelos armaban jaleo, tú tomabas nota de su elocuencia, su elección de palabras, la estructura de sus frases y su articulación.

¡No pestañees! Podrías perderte la velocidad del ritmo Géminis. ¡Es como un zoom rápido! Comienza rápido y fuerte, con una gama de sonidos etéreos que despiertan tu mente. Justo cuando te acostumbras al volumen alto y a la velocidad, de repente se ralentiza y se suaviza. Te concentras. ¿Cómo es posible que a la mitad de una canción esta se transforme en otra con tan poco esfuerzo? Este ritmo de Géminis como ambos/y es el encargado de aplicar la transición dentro del diálogo. Como mensajero del zodíaco, transmite la comunicación y ayuda a pasar el micrófono entre el orador y el oyente, con una gracia fulgurante. Por eso, su función profesional más importante es la de escritor, académico, conferenciante, investigador, etc., en el campo de la comunicación. Géminis es a la vez el orador y el público, y al mismo tiempo. Es capaz de intuir lo que el oyente necesita oír y de hablarle con esa inteligencia precisa que le ha dado el éxito en su aprendizaje. Ser un Géminis trabajador es una circunstancia rápida y siempre expansiva. Deben trabajar para sentirse cómodos diciendo: «Todavía no lo sé. Aguarda», mientras resuelven los detalles. La incoherencia es consecuencia de un Gemelo disperso, así que la única solución es anunciar: «No estoy seguro. Te lo diré cuando lo sepa».

Sabemos que una conexión significativa requiere intelecto. Los Géminis pueden aplicar esta energía mental para comprender a sus amantes sin esfuerzo. Con las preguntas adecuadas y una escucha comprometida, la conciencia de un Géminis es un contexto maravilloso para que respire el amor. Por eso su sonido es a la vez fuerte y rápido, y tranquilo y lento. Es fuerte cuando está metido de lleno en la relación, intentando comprender a su pareja. Y tranquilo cuando se dedica a escuchar activamente. Géminis pone lo común en comunicación, guiando de manera perfecta el diálogo, de tal forma que Géminis y su(s) pareja(s) se sientan atendidos y comprendidos. Si es demasiado cerebral, Géminis puede dejar de estar a la altura de una ocasión emotiva que permita mantener la salud de la relación. Muchas de las experiencias en las relaciones deben sentirse primero y analizarse después, por lo que Géminis debe adaptarse a este paradigma.

Como signo de aire mutable, la función de Géminis de facilitar la transición del lenguaje entre hablantes y oyentes resulta una técnica que el mundo necesita desesperadamente. Muchos practican la comunicación como monólogos bidireccionales. Los gemelos Géminis inician la interconexión del diálogo a través de cantos de traducción, percepción, comprensión y mutualidad. Imaginemos un mundo en el que la mayoría de nosotros nos sintamos profundamente escuchados y no abandonados en las conversaciones, luego de que los oyentes no se comprometan con las historias que compartimos. En el diálogo regido por Géminis todos podríamos aprender a hablar, escuchar, comprender y compartir la palabra.

VIRGO: Tierra Mutable-Servicio de Transición

¿Nos encontramos a medio camino? El periodo de finales de agosto y principios de septiembre es el punto medio exacto del calendario zodiacal. Desde el punto de vista estacional, tiene sentido, porque hemos terminado la primavera y el verano, y nos preparamos para el otoño y el invierno. El Universo sabía lo que hacía al colocar a Virgo en el centro. Aunque no es el primer signo de tierra, sino el segundo, la función de tierra mutable de Virgo es convincente: la mutabilidad de elementos flexibles como el aire, el agua y el fuego cobra sentido. Así que, ¿cómo demuestra Virgo la adaptabilidad del elemento más rígido?

De los cuatro signos mutables, el ritmo de Virgo no es extremadamente dicotómico como el resto, sino acumulativo. Ahí reside el dos en uno. La velocidad de Virgo no es movediza y errática, pero sí urgente. Y la canción evoluciona en una progresión perfectamente fluida, ya que esto es necesario para el crítico punto medio de Virgo. Al situarlo en el centro del zodíaco, el Universo asigna a Virgo la función de transición de servicio sin fisuras. Puesto que Virgo representa la cúspide de la evolución personal, intacta a la influencia externa, su guía interna le sirve para las situaciones, circunstancias y acontecimientos más sanos y apropiados que promueven la excelencia personal. Esa es la mitad de su canción. La canción progresa cuando los Virgo transcienden el conocimiento de su servicio interno para enseñar a otros el conocimiento de que les han asignado a ellos. Los Virgo pueden servir profesionalmente de manera más eficiente mientras desarrollan con plenitud su propia excelencia y, por lo tanto, animan a los demás para que hagan lo mismo. Los Virgo están muy presentes en los campos de la salud y el bienestar —pues, ¿qué mejor guía interior hay que eso?— así como en materias intelectuales, tales como la educación, la investigación, las artes escritas y la analítica. Empollones de manuales en la oficina, su respuesta es fácil: «¡Alegraos!». Para mantener la eficacia y la moral de trabajo en un nivel alto, todo lo que Virgo necesita hacer es soltar el control cuando sea necesario e inspirar a sus colegas para que se identifiquen con la solución y no con el problema.

Como signo mutable, Virgo es a la vez cerebro y corazón. Los Virgo aman obedientemente a sus parejas a través de prácticas tanto intelectuales como emocionales. Magníficamente modesto y hecho a sí mismo, Virgo se abre al amor con lentitud, prestando atención al comportamiento de un pretendiente/pareja de forma proactiva e imaginando resonancias en combinación. Es probable que Virgo ame a un extravertido de corazón abierto que resulte encantador gracias a su conversación, su conciencia social y su fiabilidad. A partir de ahí, Virgo sirve a su amante por completo, atendiendo a cada detalle de la vida de su pareja para que todo vaya sobre ruedas. Virgo está predispuesto al servicio, pero debe tener cuidado de no confundir el amor con la necesidad que su pareja tiene de él. Aunque todos estamos llamados a ayudar a nuestros seres queridos, hay quienes inconscientemente eligen sufrir. Virgo puede enamorarse, sin saberlo, de aquellos que se niegan a mantenerse a sí mismos. Los Virgo harían bien en evitar la actitud, por reflejo, de hacer críticas y resolver problemas. A veces, lo único que se necesita es que Virgo escuche, no que apague el fuego.

Siendo depositario de una inteligencia interior excepcional, con una asombrosa agudeza para encontrar soluciones, la canción de Virgo recuerda al zodíaco que el servicio personal y relacional es la actividad más inteligente que todos podemos emprender. Las melodías de servicio individual e interpersonal proporcionan la mejor base para la colaboración. Virgo nos muestra cómo servir al interior y al exterior con hermosa armonía. En su transición al servicio de lo personal a lo relacional, Virgo inicia la evolución en el zodíaco que va más allá del individualista crudo y la familia para imaginar el mundo entero como una comunidad amada. El Universo canta una canción más dulce en honor a su innovación.

SAGITARIO: Fuego mutable-Sabiduría de transición

¿El argumento de las historias navideñas que se cuentan cada invierno nunca cambia. Conocemos el principio, el medio y el final de nuestras favoritas. Pero esa no es la razón por la que los escuchamos cada año. La cuestión es que hemos cambiado. Y necesitamos recordar nuestro progreso cuando nos enfrentamos a los cuentos de siempre. Escuchando atentamente estas historias, cerramos el gran final del calendario con un repaso del año transcurrido, buscando la «razón» que se esconde tras los aciertos y los errores.

La mayoría de las veces el espíritu humano se queda con una sensación de gratitud por las experiencias vividas y optimismo por lo que está por venir. El último signo de fuego y la fuerza final de la convicción nos recuerdan a todos el poder interior.

Cualquier ritmo que te haga sentir que vas a la carrera es la velocidad de Sagitario. Una de mis canciones favoritas, escrita y compuesta por un músico Sagitario, tiene un ritmo que suena como el galope de los caballos. Fuego mutable, el poder de Sagitario radica en su rápida y expansiva capacidad para inspirar asombro y pertenencia colectiva. Como el Centauro mitológico —la criatura mitad caballo/mitad humano— su ubicación en la familia mutable de las transiciones es intencionada. Puesto que encarnan la consideración animal y racional de los impulsos de la humanidad, la función de Sagitario es la transición de la sabiduría del ánima a lo humano. La lección del caballo al humano es que no debemos competir, sino colaborar. La base de esta función es la percepción proactiva por parte Sagitario de la bondad, de la inocencia imponiéndose a la culpa y el sobreponerse a la vergüenza.

Por supuesto, Sagitario puede proporcionar esta filosofía altruista de forma profesional a través de sus prolíficas capacidades como comunicador, buscador de evidencias, narrador de historias, académico y localizador de intereses comunes. En otras palabras, como pueden encontrar lo que tienen en común con los demás, aumentan sus probabilidades de lealtad, asociación y red. Demostrar sabiduría a la hora de encontrar nuestras similitudes y trabajar a partir de ellas resulta un regalo en el lugar de trabajo. La multitarea con muchas personas puede ser compleja, por lo que Sagitario puede necesitar dedicar una parte importante de su tiempo a centrarse en los detalles menores, ya que ninguna colaboración puede tener éxito si no se completan tales tareas. Un poco de concentración y un ritmo lento serán suficientes.

Dada su disposición holística, Sagitario puede escribir una majestuosa historia de amor con otra persona. Puesto que su sinergia animal y racional no acepta fácilmente ni la cicatería ni la comparación, aman con generosidad, seguridad y con el corazón abierto, otorgando presencia y libertad al otro, y esperando el mismo nivel de compromiso. Apasionado, curioso y arrojado en su demostración de emociones, un Sagitario es un valeroso fuego desatado en el amor. Impresiona al centauro con tu optimismo, tu seguridad personal, tu alegría y tu capacidad de comunicación verbal. Ninguna barrera de seguridad protege a la pareja de un Sagitario de recibir una de sus descuidadas ocurrencias. Sagitario sería más sabio si se detuviera unos segundos a reflexionar antes de hacer alguno de sus comentarios.

Lo que solemos recordar al final del año es cómo la calidad de nuestras relaciones es la fuente del sentido de nuestra vida. Nuestras relaciones inspiran alegría y crecimiento. Sagitario, por su parte, trasciende la sabiduría, porque ¿qué hay más sabio que imaginar de manera proactiva lo mejor de las personas y las circunstancias y, al hacerlo, invocar las circunstancias que concurren en todo ello? Así que dejan el arco y la flecha y la diana, y dan en el clavo del sentido de la vida. Tú eres tu mejor Yo, y el mejor escenario para la colaboración y la aventura es el que tenemos. Así que, con gusto, damos paso a la canción de inspiración y libertad para Sagitario, subimos a su lomo de centauro y galopamos hacia el atardecer.

PISCIS: Agua mutable-Transición Emocionalidad

¿Cómo podemos captar un sentimiento? ¿Requiere que lo sintamos, que lo comprendamos, o ambas cosas? Estas son algunas de las preguntas que nos hacemos durante el final del letargo invernal, en espera del amanecer de la primavera. Dado que este momento crucial, tanto en el zodíaco como en el calendario normal, requiere una profunda introspección y que nos alejemos de las distracciones, a menudo nos toca luchar, abrazar y hacer las paces con nuestra emocionalidad. En casi todos los ámbitos de la cultura popular, se nos dan herramientas contraproducentes para procesar y facilitar las emociones, hasta que Piscis sale del mar hacia la orilla, cierra los ojos y señala tu corazón.

Piscis no solo es el último signo del zodíaco, sino también el último signo de agua. Verdadera encarnación de todas las melodías, estructuras y claves precedentes del zodíaco, el ritmo de Piscis comienza con un lento fundido en los más bellos sonidos orquestales, en perfecta armonía en su clímax. Escuchas donde todos los signos se unen en un opus. Primero, lo sientes en tu corazón. Tu conciencia permite que la canción se desvanezca lentamente en orden inverso. Y así oyes y sientes la forma en que Piscis modifica la emocionalidad del zodíaco.

La última misión que ha decretado el Universo para Piscis es identificar emocionalmente el amor en su corazón y dirigirse al amor que hay en los demás. Aunque ningún signo tiene el monopolio del amor, es realmente Piscis quien tiene la tarea de ayudar al zodíaco a comprender que el amor colectivo que se alberga en nuestros corazones es donde los doce signos se unen como uno solo. Esta es la cima espiritual para todos nosotros, instruida por Piscis desde el fondo del mar. Y así, en su trabajo, se sienten fundamentalmente inclinados a prestar un servicio profundo a la sanación emocional de los demás, porque Piscis ama profundamente. Ya sea a través de las artes creativas o de los ámbitos de la sanación, Piscis puede contribuir con sus dones divinos a ayudarnos a todos a comprender que dar y recibir amor es lo que se nos pide a todos para poder llegar a tener una vida más significativa. Los nacidos en Piscis deben tener cuidado de no sacrificarse en estos esfuerzos, ni negar su capacidad de dar y recibir amor porque tantos lo están pasando mal.

Por supuesto, un signo tan íntimo con el amor puede amar a otro. Con la profundidad y la sensibilidad expresadas por el océano al que llaman hogar, Piscis proporciona un santuario de curación y compasión y un exquisito sentido de la conciencia que inspira a sus seres queridos a sentirse apreciados y respetados. Con emociones que a menudo se expresan de forma no verbal, el amor de Piscis solo necesita sentirse para saber lo profundamente real que es. Su empatía suele inspirar al corazón de Piscis para abrirse a alguien que también intenta hacer del mundo un lugar mejor. Un pez de Piscis admira a los pretendientes que hacen que los espacios sean un poco más luminosos, tiernos y cariñosos. El segundo pez puede autosabotearse si se enamora de un tipo emocionalmente evasivo u oscuro y distante. Piscis encuentra una unión profunda entre los peces si aprenden a identificar y articular sin dilación las experiencias a sus parejas para evitar inventarse conspiraciones en su mundo interior y causar catástrofes en su mundo exterior.

La astrología es la sinfonía del Universo, y toca una pieza maestra para el amor. La oda a Piscis es el gran final de esta sinfonía. Y así, cualquier arte que inspire un cambio de corazón en la apertura al amor dado y recibido es la transición emocional dirigida por Piscis. Si sabes lo que cambia un corazón, sabes lo que cambia el mundo. El amor es lo que inspira la mejor transición del corazón.

La creatividad, la amistad y el empoderamiento de Piscis son las aguas en las que limpiarnos del miedo y recordar que solo el amor es real.

5

LOS MAPAS DEL AMOR: SOBRE LA «COMPATIBILIDAD»

TODOS LOS SIGNOS SON COMPATIBLES CON CADA UNO de los demás signos. Eso es así. Defiendo tal cosa a ultranza. Aunque los hay que categorizan la compatibilidad astrológica a partir de la facilidad de comunicación, no acepto esta creencia porque entra en colisión de manera directa la teoría de las relaciones desarrollada desde hace mucho tiempo por expertos en este campo. Así que lo escribiré de nuevo para que se entienda mejor: todos los signos son compatibles con todos los signos.

En este capítulo explicaré cómo se mide la compatibilidad astrológica mediante las seis distancias diferentes que hay entre dos signos cualesquiera. Tanto si la distancia entre los signos es amplia como si es estrecha, la distancia determina la energía entre ambos y, por lo tanto, contiene dones específicos y puntos ciegos que la pareja puede comprender para construir mejor una relación exitosa.

LA VUELTA A CASA-LA CORRESPONDENCIA
DE LA CONJUNCIÓN

¡Qué nivel de comodidad se alcanza cuando se puede hablar el mismo idioma del amor que la pareja! En la compatibilidad de conjunción —cuando los signos están unidos en una conjunción— tu pareja y tú os manejáis con los valores amorosos de manera similar. Contar con una química de coincidencia y armonía permite encontrar la confianza y la honestidad con bastante rapidez, ya que las energías se expresan en el mismo idioma. Las mejores virtudes de cada signo se reflejarán en la pareja, proporcionando una dinámica que eleva la autoconciencia de una forma poderosamente reflexiva. Dado que los lazos de la conjunción suelen ser inmediatos, los miembros de la pareja se beneficiarían de un ritmo adecuado que permitiese que la química y la energía se desarrollen de forma acumulativa con el paso del tiempo. El hecho de tener idénticos discos duros astrológicos permite que la fiabilidad y la confianza sean la base de la pareja. Se sentirán como en familia. Experimentar con el contraste, el misterio y lo desconocido mantendrá el deseo en su punto álgido de pasión. De lo contrario, la facilidad podría resultar excesiva y podría aparecer el aburrimiento podría aparecer.

SIGNOS VECINOS-LA COMPATIBILIDAD INCONJUNTA

Los signos a nuestra izquierda y a nuestra derecha tienen poco o nada en común con nosotros. Y así debe ser. La compatibilidad de signos vecinos es extremadamente poderosa, dada la misión que tiene la pareja de honrar las diferencias y saludar la individualidad de cada uno durante el recorrido. Es probable que se desarrolle lentamente, mientras los signos empiezan a entenderse. Una vez que lo hagan, tendrán que seguir siendo comprensivos y curiosos sobre el contraste que existe entre ellos, ya que pueden desarrollar una magnífica relación de posibilidades alternativas. A menudo queremos que nuestros compañeros piensen, sientan y se comporten como nosotros o, peor aún, queremos tener «razón». Eso no ocurrirá en la inconjunción decretada por el Universo. Se trata de una relación compatible que inspira un crecimiento significativo en el contexto de las diferencias y anima a salir de la zona de confort. Se mantendrá una profunda lealtad mientras cada uno se adaptan a la identidad del otro. Un diálogo proactivo y sincero sobre las expectativas románticas inspirará las ofertas de conexión a través de la dinámica de inconjunción.

DOS PUERTAS MÁS ALLÁ-LA COMPATIBILIDAD SEXTIL

Coge la tabla periódica de los elementos, porque vas a aprenderlo todo sobre química con esta pareja. Los signos situados a la izquierda y a la derecha del tuyo forman la pareja sextil. La química es similar a la de una caja de cerillas que se encienden todas a la vez. Suele comenzar con una amistad muy fácil, despreocupada y hermosa. Los miembros de la pareja sextil se sienten muy felices de estar simplemente cerca del otro, que es todo lo que cualquiera quiere en un romance. La compatibilidad sextil inspira alegría, risas, colaboración y la emoción de la conexión. Con toda esta electricidad y poder, la pareja necesita instaurar activamente la estabilidad y las prácticas de arraigo si la intención es la de imprimir una dinámica propia de una relación comprometida. No resulta lo más sexy incluir palabras tales como expectativas, valores y aprendizaje en la conversación de alcoba, pero considera a estas conversaciones como guardianes que protegen la química que adoras en esta pareja. Los sextiles poseen una dinámica basada en la complementariedad. Piensa en lo que el aire hace por el fuego y lo que el agua hace por la tierra. Por supuesto, el reconocimiento del punto intermedio que ambos intentan alcanzar en la pareja les permitirá unir fuerzas y jugar para ganar.

A LA VUELTA DE LA ESQUINA-LA COMPATIBILIDAD EN CUADRATURA

¡Todo a la izquierda! ¡Todo a la derecha! Los signos que están tres posiciones por delante y después de ti son bastante diferentes a lo que sueles estar acostumbrado... o eso creías. La pareja en cuadratura implica una dinámica de compatibilidad que mantiene la misma cualidad —cardinal, fija o mutable— entre vosotros. Estáis orientados de la misma forma en cuanto a la cualidad, pero trabajáis por objetivos diferentes. La pareja en cuadratura crea una dinámica de tira y afloja que puede entusiasmar a los aventureros y hacer huir a los amantes de la comodidad. Puesto que la calidad es la misma en la relación, debes saber que el éxito depende del reconocimiento de que las marcadas diferencias entre vosotros son muy superficiales en cuanto a su forma. El vínculo entre vosotros reside en el nivel del contenido, que es profundamente significativo y tarda un poco en revelarse a la pareja. Los emparejamientos en cuadratura pondrán a prueba vuestra paciencia, capacidad de perdón y habilidad negociadora mientras navegáis por el romance que posiblemente tiene su valor en el punto medio. Dado el vínculo que compartís, formaréis un poderoso equipo, si estáis dispuestos a colaborar y llegar a un acuerdo.

NO HAY LUGAR COMO EL HOGAR - LA
COMPATIBILIDAD EN TRÍGONO

Los semejantes se atraen, ¿verdad? El maravilloso trígono inspira una relación
con signos nacidos en el mismo elemento cuatro posiciones antes o después
del tuyo. Así que la forma en que os relacionáis con vosotros mismos y con
el mundo es magníficamente armoniosa. Rápidos para resolver problemas y
rebasar con rapidez el conflicto, un trígono tiene una energía tan suave como
la propia palabra trígono. Fiable y cómoda, la pareja en trígono se siente como
una profunda exhalación. Ellos lo entienden. Tú lo entiendes. ¡Por fin! La confianza es un subproducto rápido de esta unión, por lo que debemos apreciarla.
Una vez asentados los puntos en común que promueven el entendimiento,
los trígonos se benefician de la incorporación de lo desconocido, lo exótico y
el misterio a la relación para añadir emoción a la misma. Todas las relaciones
son una paradoja de equilibrio entre la confianza y el misterio, así que, como
los trígonos inspiran confianza, deben proveer de un poco de misterio. De
lo contrario, la comodidad podría convertirse en complacencia, si no se tiene
cuidado. Solo así querrán construir un hermoso contenedor basado en lo
común que albergue el poder de su relación.

¿VIVIMOS EN EL MISMO PLANETA? - LA
COMPATIBILIDAD EN QUINCUNCIO

No hay pareja más extraña, en cuanto a compatibilidad, que la formada por
signos separados por otros cinco. Cuando el Universo reúne a un quincuncio, al principio, la pareja sentirá que todo lo que sabían era algo erróneo.
Como el otro es enormemente diferente, les enfrentará a las posibilidades
de participar en la vida desde esferas casi extraterrestres. Si la pareja del

quincuncio se toma el tiempo necesario para comprender quién es el extraterrestre del que no se cansan, estas relaciones les aportarán belleza y crecimiento personal. La sabiduría de sus experiencias se vuelve transferible del uno al otro. La adaptabilidad se convierte en una de sus mayores habilidades. Como el misterio es tan prevalente en la dinámica del quincuncio, la revelación proactiva entre ellos genera confianza y mantiene el éxito de la relación. Es prudente que la pareja asuma que el otro no tiene ni idea de sus intenciones cotidianas. Las explicaciones minuciosas permiten a la pareja anticiparse a las necesidades del otro, satisfacerlas y mantener así la dinámica a salvo y segura.

CRUZANDO LA CALLE · COMPATIBILIDAD DE POLARIDADES

Hay seis pares de polaridades y solo tenemos un «otro». La compatibilidad de polaridades es de una potencia termonuclear. La pareja parte de lados opuestos de la rueda zodiacal. Es importante recordar que su línea de meta es la misma. Así que se miran fijamente desde sus posiciones en el zodíaco y la historia de su relación se convierte en un *sprint* hacia la línea de meta. Las compatibilidades de polaridades tienen formas opuestas, pero contenido idéntico. El término medio es el punto dulce y tierno donde se encuentran la verdadera intimidad y una especie de comunión. Cuando las diferencias opuestas sin sentido se desvanecen, todo lo que queda es aquello por lo que luchan. Se necesita una gran perspicacia personal y una profunda voluntad de buscar la reciprocidad. Si se maneja bien la forma opuesta, su afinidad y magnetismo son incomparables. De lo contrario —y en forma de polaridad opuesta— se repelerán mutuamente. La dinámica de la polaridad es una vorágine de mundos que chocan para convertirse en uno solo.

Creo que cada relación es una tarea, tal como enseña *A Course in Miracles,* que nos muestra que las relaciones se convierten en hospitales para el alma y laboratorios del espíritu. El único árbitro de la compatibilidad de una relación es lo dispuestos que estemos a mostrarnos tal como somos, a recibir las lecciones del otro y a mantener el corazón abierto al amor. No depende del tiempo que pasemos juntos, sino de las lecciones que aprendamos. Si tardas dos semanas en sanar con el otro, entonces la relación ha sido un gran éxito.

Si imaginas la distancia entre los signos como mapas para encontrar el camino del uno hacia el otro, entonces te das cuenta de que no existe la mala o la buena compatibilidad.

Todas las relaciones, desde las más casuales hasta las más íntimas y duraderas, ofrecen a la pareja una dinámica para colaborar y aprender juntos las lecciones del amor.

6

LA ASTROLOGÍA COMO UNA AYUDA: PROGRAMANDO LAS OPORTUNIDADES

LEGADOS A ESTE PUNTO, ESTE CAPÍTULO SERÁ EL más técnico. ¡Pero no te asustes! Ya que has llegado tan lejos en tu búsqueda, sé que puedes manejarte con los métodos. Lo que necesitarás para emplear la astrología como herramienta auxiliar en tu vida es dar otro repaso a las luminarias y los planetas del capítulo 2 (página 20) para que puedas recordar no solo los conceptos clave, sino también los plazos de cada actor celeste y puedas planificar tu presente y tu futuro en consecuencia.

A continuación, deberás mantener las identidades de los doce signos del zodíaco, distintos pero relacionados entre sí, ya que adaptarás las características de las identidades zodiacales al contenido de su carta natal. Imagina tu carta natal como un pastel y la forma del zodíaco como el glaseado. La carta natal es la penúltima herramienta que necesitarás. Introduce los datos de tu nacimiento con exactitud —es decir, la fecha, la hora exacta y la ciudad/estado/país de nacimiento— en cualquiera de las calculadoras de cartas natales gratuitas disponibles en internet, para que así puedas tener tu carta natal lista para este capítulo. Para empezar con este método de programación, identifica primero tu ascendente, también llamado signo ascendente. Es muy fácil. Todas las calculadoras de cartas comienzan diciéndote cuál es el tuyo. La segunda herramienta es el conocer los grados de tu ascendente o signo ascendente, además del grado de las combinaciones planeta/signo. Resumiendo, necesitarás tu signo ascendente, los grados en los que comienza y los grados del resto de tu carta natal.

Por último, para los métodos predictivos, necesitarás consultar un calendario/seguidor astrológico para poder ver cuál es la astrología de tránsitos planetarios. Con tu carta natal y tu carta de tránsito, aprenderás a superponer los tránsitos sobre tu carta natal y, de este modo, localizar la energía entre ambas. Así es como los astrólogos articulan puntos de enfoque, energías y temas para sus clientes, y para levantar los horóscopos. Aquí es donde presentaré las doce casas de la carta natal, para que puedas planificar tu éxito de acuerdo con esta información.

Una forma muy fácil de recordar lo que representa cada una de las doce casas es relacionar el número con el orden numérico del zodíaco. Por ejemplo, ¿cuál de los signos del zodíaco rige las relaciones románticas? Libra, el séptimo signo del zodíaco. Por lo tanto, la séptima casa de nuestra carta natal contiene las identidades de nuestras relaciones. ¿Qué signo rige nuestro hogar y nuestra familia? Cáncer. Cáncer es el cuarto signo del zodíaco y, por tanto, la cuarta casa es nuestra familia y nuestro hogar. Cuando estés seguro de la firmeza de tus conocimientos sobre el coro de los planetas y el canto del zodíaco, entonces, estarás listo para experimentar con este capítulo.

Ahora que dispones de tu carta natal y has identificado el ascendente, has de conocer el regente de tu primera casa y dónde empieza su horario. Por ejemplo, tu carta natal podría revelarte que tienes un ascendente de dieciséis grados en Virgo. Entonces, cuando un planeta en tránsito entre en los dieciséis grados de Virgo, habrá entrado de manera oficial en tu primera casa y, así, te preparas para nuevos comienzos. Como las luminarias y los planetas interiores transitan entre signos con más frecuencia, puedes seguir con rapidez la evolución de dichos planetas.

PRIMERA CASA-PREPARARSE PARA LA IDENTIDAD Y LOS COMIENZOS

El tránsito a la primera casa es un momento de renovación, reinvención y de volver a empezar con confianza.

SEGUNDA CASA-PREPARARSE PARA LA SEGURIDAD Y LOS VALORES

Los tránsitos por la segunda casa promueven la seguridad personal y financiera con valores informados que los sustentan.

TERCERA CASA-PREPARARSE PARA EL INTELECTO Y LA COMUNICACIÓN

Los tránsitos por la tercera casa inspiran curiosidad, conversación y comunicación intelectual.

CUARTA CASA- PREPARARSE PARA EL HOGAR Y EMOCIONALIDAD

Los tránsitos por la cuarta casa promueven la seguridad emocional y la reverencia familiar, y apoyan la compra, la venta y la mejora del hogar.

QUINTA CASA- PREPARARSE PARA LA DIVINIDAD Y LA DIGNIDAD

Los tránsitos por la quinta casa nos recuerdan nuestra valía inherente para ser lo mejor de nosotros mismos, con creatividad, alegría, carisma, romanticismo y pasión.

SEXTA CASA-PREPARARSE PARA LA AUTONOMÍA Y EL BIENESTAR

Los tránsitos por la sexta casa nos ayudan a planificar nuestra administración personal, para que nuestras habilidades actuales de gestión de la vida refuercen nuestro éxito futuro.

SÉPTIMA CASA- PREPARARSE PARA LAS RELACIONES Y LOS CONTACTOS

Los tránsitos por la séptima casa nos traen asociaciones interpersonales, negociación y compromiso, por lo que es un momento maravilloso para programar una boda.

OCTAVA CASA-PREPARARSE PARA LA AUTENTICIDAD Y LA INTIMIDAD

Los tránsitos por la octava casa estimulan la intimidad erótica, la transformación profunda a través de los vínculos con el otro y la búsqueda mística de la autenticidad.

NOVENA CASA-PREPARARSE PARA LA TRANSFORMACIÓN Y LA EXPANSIÓN

Los tránsitos por la novena casa nos llevan en avión, de vuelta a la escuela, a una editorial, o nos recuerdan la sabiduría del optimismo.

DÉCIMA CASA-PREPARARSE PARA EL PROPÓSITO Y LA CONTRIBUCIÓN

Los tránsitos por la décima casa promueven el trabajo duro, la disciplina y la responsabilidad pública de aportar nuestras capacidades a lo público.

UNDÉCIMA CASA-PREPARARSE PARA LA COMUNIDAD Y LA REVOLUCIÓN

Los tránsitos por la undécima casa nos acercan a nuestros amigos, a la tribu y nos aportan un profundo sentimiento de pertenencia a una comunidad que está aquí para ayudarnos.

DUODÉCIMA CASA- PREPARARSE PARA EL CIERRE Y LA CURACIÓN

Los tránsitos por la duodécima casa son espirituales, muy sanadores y pueden llevar a cerrera negocios importantes en áreas con las que estemos dispuestos a trabajar.

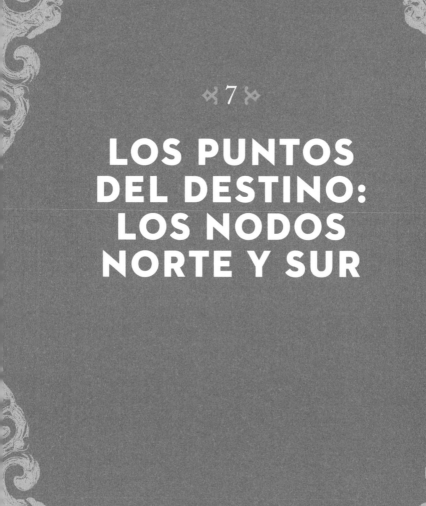

7

LOS PUNTOS DEL DESTINO: LOS NODOS NORTE Y SUR

R ESULTA CASI ANONADADOR EL HECHO DE QUE
RESPIRAR hondo y rezar en busca del equilibrio pueda ser
la respuesta a casi todos los puntos de indecisión a los que nos
enfrentamos. Aunque parece casi la única respuesta adecuada en estos
momentos de incertidumbre, la astrología postula que lo que la forma de
equilibrio significa para ti es diferente de lo que la forma de equilibrio
significa para mí. Así que vamos a estudiar los Nodos Norte y Sur.

Astronómicamente, los Nodos se refieren a un punto en el espacio donde
la Luna cruza la elíptica u órbita de la Tierra alrededor del Sol, de norte a
sur, o viceversa. En tu carta natal, encontrarás tus Nodo Norte y Sur en uno
de los seis polos del zodíaco: Aries/Libra, Tauro/Escorpio, Géminis/Sagita-
rio, Cáncer/Capricornio, Leo/Acuario o Virgo/Piscis. Los he enumerado en
orden cronológico, pero no es necesario que sea la pareja nodal de cada uno.
Tu carta natal podría identificar un Nodo Norte de Géminis con un Nodo
Sur de Sagitario.

Conocer tu asignación nodal es una potente bala de plata contra muchos de los monstruos a los que nos enfrentamos en nuestras experiencias vitales. Aunque no es la única cura o aspecto medicinal que ofrece la astrología, es de lo más útil saber en qué pareja has nacido, para así comprender mejor lo que el Universo quiere que mantengas y honres mediante un equilibrio de experimentación y crecimiento. El signo del Nodo Sur representa los conceptos y virtudes que encarnas y a los que te acoges sin esfuerzo. Mis mentoras Ophira y Tali Edut, de *AstroTwins,* afirman que es aquello en lo que tienes un doctorado espiritual. Existe una escuela de pensamiento que cree que tu Nodo Sur contiene los temas de vidas pasadas, si la reencarnación es un concepto con el que estás de acuerdo. El signo del Nodo Norte contiene la llave para abrir la misión, la cima de la montaña de la encarnación actual. Al dominar los dones del Nodo Sur, los aplicamos correctamente a la tarea encomendada por el Nodo Norte y, de este modo, logramos lo que el Universo pueda requerir de nosotros.

Me encanta la dinámica de la polaridad, porque creo que el punto óptimo entre los signos polares opuestos se parece un poco como el cielo en la tierra. La intencionalidad de los nodos como polaridades es fascinante porque confirma al practicante que, incluso entre los polos opuestos, existe un denominador común.

En este capítulo te explicaré los dones del Nodo Sur, para que puedas identificar la virtud con la que has nacido. Las cualidades descritas no están pensadas para que te rindas ante ellas, sino para que las mantengas y las compartas. También te explicaré los posibles puntos ciegos, para que seas consciente de los comportamientos reflejos que podrían impedirte ser lo mejor de ti mismo. Vivir con la dicotomía de los nodos bien podría ser el trabajo de tu vida. Ojalá pudiera escribir las respuestas fáciles, pero debemos vivir con ellas y buscarlas nosotros mismos.

NODOS ARIES Y LIBRA: EL EQUILIBRIO DE LAS RELACIONES

Nacido con la misión de «¿Primero soy yo o lo somos nosotros?» el equilibrio en Eje de los Nodos de Relación radica en aprender a intermediar mutuamente las necesidades del individuo como algo que no es más o menos importante para la supervivencia de las relaciones. Que sea un *ganamos todos* o no hay trato. Una persona con el Nodo Sur en Aries puede hacer honor a su capacidad de mantener la confianza y la seguridad sin necesitar la aprobación de los demás. Aunque sus fuegos de Aries pueden arder hasta la autopreocupación y la falta de control de los impulsos sociales, el Nodo Sur de Aries debe recordar la misión del Nodo Norte en Libra, que exige ayudar a potenciar a los demás para que encuentren la confianza a través de las relaciones. Una persona del Nodo Sur en Libra agradece sus habilidades interpersonales, sus gracias sociales y su versatilidad estética. Aunque puede pecar de codependencia y superficialidad si no se cuida adecuadamente. Por eso recuerdan que el Nodo Norte de Aries es una misión para encarnar la autorrealización sin el permiso de los demás.

NODOS TAURO Y ESCORPIO: EL EQUILIBRIO DE VALORES

Nacidos en la tensión entre la conservación y la destrucción, el equilibrio de Tauro y Escorpio se haya en poder encontrar el punto de equilibrio entre los valores prácticos y los espirituales. Por supuesto, el dinero es importante, al igual que otros valores que dependen de las circunstancias, pero, al fin y al cabo, ¿qué importancia puede tener si carece de sentido? Los Nodos Sur de Tauro están bendecidos por la capacidad de encontrar seguridad, comodidades y lujo en cualquier espacio en el que se encuentren. Aunque un Nodo Norte Escorpio le recuerda que puede disfrutar de comodidades, pero no de crecimiento, por lo que debe destruir sus zonas de confort para crecer, cuando sea necesario. Los Nodos Sur de Escorpio tienen un radar muy preciso para las ideas troncales de la vida, tales como la intimidad, la transformación y la autenticidad. Pero pueden quedarse atascados en la oscuridad. Una misión del Nodo Norte de Tauro es la del recuerdo de valores más desenfadados y llenos de luz como la alegría, el lujo y el amor.

NODOS DE GÉMINIS Y SAGITARIO: EL EQUILIBRIO DE LA COMUNICACIÓN

Nacido del equilibrio entre el *valedictorian*[6] y el profesor, la misión nodal de Géminis y Sagitario es una en la que la persona debe estudiar, recopilar y prestar atención a los microdatos para encontrar las experiencias compartidas en lo macro y enseñárselas a los demás. Una persona del Nodo Sur de Géminis es precoz, curiosa, elocuente e inteligente, aunque peligrosamente diletante. La tarea del Nodo Norte de Sagitario es acumular los datos, sintetizar la brillantez y demostrar sabiduría de forma amplia. Un Sagitario del Nodo Norte encuentra rápidamente lo que todos y todo tiene en común, y lo hace con una aguda perspicacia, a menos que su percepción sea demasiado amplia o dispersa como para encontrar los detalles importantes. El Nodo Norte de Géminis requiere concentración y alegría, para descubrir los detalles de una larga investigación en temas singulares.

NODOS DE CÁNCER Y CAPRICORNIO: EL EQUILIBRIO DE LA FAMILIA

Surgida entre el amor a la familia y el deber de ciudadanía, esta misión nodal es convincente, porque pide a los que se encarnan en ella que difuminen las fronteras entre el hogar y el país. En otras palabras, ¿podemos cambiar el mundo amando y tratando a nuestras sociedades como si fueran nuestra familia. y estableciendo una moral y una responsabilidad más rectas en el seno de nuestras familias? Una persona con el Nodo Sur en Cáncer es compasiva, maternal, centrada en el corazón y emocionalmente fuerte. Sin autocontrol, pueden volverse sufridores y egoístamente sensibles. El Nodo Norte en Capricornio les pide que traten al público, su trabajo y su sociedad con el comportamiento y las expectativas de la familia. Un Nodo Sur de Capricornio es disciplinado, trabajador y responsable, a menos que mida su valía solo por la productividad. Por eso, el Nodo Norte de Cáncer les recuerda la gloria y el deber para con la familia, la emotividad, la vulnerabilidad y la seguridad.

NODOS DE LEO Y ACUARIO: EQUILIBRIO DE PODER

Los Nodos de Leo y Acuario, que poseen tanto la propensión al liderazgo divino como una conciencia precisa de las personas a las que deben guiar de todo corazón, son a la vez el monarca y el reino. Con un carisma radiante que lo cierto es que no es de este mundo, la cualidad estelar está destinada a servir a este mundo. Los Nodos Sur de Leo nacen con ese algo especial, una presencia inconfundible que inspira atención y devoción, aunque esa luz puede brillar demasiado y herir a los demás, si ocurre que la personalidad que hay detrás es engreída y pomposa. El Nodo Norte de Acuario les pide que aprovechen la atención que reciben, reafirmando a los demás, concienciando y proporcionando un acceso que empodere. Los Nodos Sur de Acuario saben imperativamente cómo llegar al corazón de los demás gracias a sus dotes para la comunicación, consideración y humanitarismo.

Aunque pueden llegar a ser pasivos y perezosos cuando se hallan en posiciones de incómoda autoridad.

El Nodo Norte de Leo es un trono de empoderamiento en el que sentarse, arropados por la profunda devoción que reciben de las personas que los aman y adoran.

NODOS DE VIRGO Y PISCIS: EL EQUILIBRIO DEL SERVICIO

Holístico. Integral. Volver a hacer la totalidad es la función de los Nodos de Virgo y Piscis a través del servicio físico y metafísico.

Pionera de los paradigmas de curación de la mente, el cuerpo y el espíritu, esta misión nodal busca integrar la inteligencia entre el cuerpo y el alma.

Los Nodos Sur de Virgo son conscientes a los temas de la salud, astutos, detallistas y analíticos. Aunque pueden destrozarse a sí mismos si ponen demasiado énfasis en la salud identificada con el cuerpo.

El Nodo Norte de Piscis sirve para sanar el corazón y el alma a través de esfuerzos creativos y de la salud mental, o dedicándose a ocupaciones médicas que son la intersección de la salud física y la del corazón.

El Nodo Sur de Piscis hace que la inteligencia divina entre en sus pensamientos con regularidad, guiándolos para que digan y lleven a cabo actos de lo más cariñosos. Tal don puede alimentar el miedo, la negación y la distracción.

El Nodo Norte de Virgo requiere, en tal caso, la aplicación física de su sabiduría espiritual. Mediante un cuidadoso equilibrio entre la articulación física mundana y el impulso metafísico, la combinación de ambas modalidades hace que el trígono de mente, cuerpo y espíritu llegue a su plenitud.

CONCLUSIÓN: COMO ES DENTRO, ES FUERA

AUNQUE ESTE ES EL ÚLTIMO CAPÍTULO de *El pequeño libro de la Astrología,* no por ello tu viaje ha llegado a su final. Ahora tienes en tu poder antiguas llaves capaces de abrir el poder y la claridad del universo, tanto dentro como fuera. Oirás la música de las estrellas, ya que ahora caminas entre ellas. Con el conocimiento que has absorbido a través de este libro, puedes manifestar la sabiduría de la astrología en cualquier área de tu vida... y con un poco de acompañamiento cósmico se llega muy lejos. A propósito, te agradezco profundamente que te hayas tomado el tiempo de leer este libro. A modo de despedida, aquí van unas últimas palabras que pretenden servir de guía para utilizar las herramientas de la astrología de una manera eficaz y ética.

Cuando busques claridad en tu vida o en la de las personas que te rodean, solo tienes que consultar el calendario de los planetas que rigen el tema sobre el que buscas respuestas. Confía en que, independientemente de la dificultad que presenten las circunstancias —desde un pequeño inconveniente hasta una catástrofe total—, todo son lecciones que te da el universo. Debes saber que estas lecciones de vida responden a una arquitectura divina. Las experiencias cronológicas de tu vida tienen una coreografía formativa, y la sincronización planetaria subyacente puede ayudarte a bendecir el pasado, desenvolverte en el presente y prepararte para el futuro.

Confía en esta verdad espiritual. Apóyate en la certeza de que el universo se autoorganiza y autocorrige constantemente para ofrecerte las máximas oportunidades, para tu mayor beneficio. Dado que la mayoría de nosotros aprendemos las lecciones más valiosas a través del dolor, mezclado con un poco de alegría, imagina cómo es la oportunidad de esas experiencias en términos de tu carta natal. Piensa en los movimientos de los planetas que generan oportunidades de que surja tu beneficio más elevado. El sufrimiento te aporta empatía. La empatía conecta. La alegría te da esperanza. La esperanza sustenta la vida. Todas las experiencias emocionales son valiosas.

Espero que, cuando escuches las canciones del fuego, la tierra, el aire o el agua, tu corazón se incline ante la orquesta del universo y la sinfonía de la astrología. Cada signo tiene una función específica y necesaria que el universo le pide que cumpla. Puesto que cada signo es una combinación de elemento y cualidad, como ya hemos dicho, todos son especiales, y ninguno más que otro. Para que la sinfonía pueda tocar su *magnum opus*, es necesario que los doce arquetipos reciban aceptación y estímulo.

Este proceso comienza contigo. Imagínate como un mensajero que primero recibe los comunicados y luego los comparte con quien necesite oírlos. Permítete ser la persona que esa carta quiere que seas, a partir del vocabulario exacto, los temas, las cualidades, los dones y los puntos ciegos de tu carta astral.

Incluso aunque te halles en un pozo de rechazo social por parte de las normas dominantes, asume lo que eres sin disculparte. Si eso te convierte en una mujer directa y más asertiva regida por Aries o en un hombre receptivo y magnético regido por Cáncer, regálate ante todo una asunción radical, de forma que el universo no tenga más remedio que alinear tu vida con tu identidad. ¿Sería razonable disponer la carta sin contar con los medios para expresarla o realizarla con éxito? Por supuesto que no.

¿Vivir tu carta va a ser fácil? ¿Es fácil cualquier cosa que impulse un crecimiento significativo? No. Hazlo de todos modos.

A través de tu comprensión de la astrología, intenta buscar proactivamente los arquetipos dentro de las personas que te rodean y saluda lo mejor de su función para que sientan la invitación que les haces a expresar su rectitud. Sabemos cuándo la gente busca pruebas de los defectos de nuestro carácter. Y sabemos cuándo buscan lo mejor de nosotros. Sé la persona cuya percepción esté tan entrenada para buscar lo mejor de las personas que el arquetipo de su signo del zodíaco no tenga más remedio que dar un paso al frente. El liderazgo es el entrenamiento mental necesario para dejar espacio a la brillantez de los demás. Deja espacio para la brillantez del zodíaco que te rodea.

Aunque muchos de nosotros miremos primero a las estrellas para comprender mejor lo que ocurre en nuestro interior, quiero que te imagines que la escuela astrológica resulta más operativa en el ámbito de las relaciones. La astrología está presente en todos los aspectos de nuestras relaciones con los demás: colaboración, comprensión, comprensión, responsabilidad, límites y una sincera curiosidad por conectar profundamente con los demás. Por lo tanto, cuando evalúes la compatibilidad en el contexto de la astrología, te aconsejo que utilices la unidad y la conexión como principios, y evites el distanciamiento y la culpa. Por supuesto, puede ser muy divertido burlarse de las personas presentes en nuestra vida relacionándolas con las versiones más reduccionistas de sus signos zodiacales. Sin embargo, cuando manejes la expresión más profunda de la compatibilidad, sé muy firme a la hora de abordar el diálogo de la dinámica relacional buscando un resultado de unidad y comprensión por encima de todo. Reclama de los demás que hagan lo mismo. El mundo está deseoso de corazones transformados por el amor y el perdón.

El texto espiritual de *A Course in Miracles* nos recuerda que enseñar es demostrar, no predicar ni hacer proselitismo. Si te consideras un maestro de astrología y de los temas espirituales universales que están presentes en su estudio, los estudiantes que necesitan escucharte ya están siendo magnetizados hacia tu resonancia mientras hablamos. En los últimos años, en la cultura occidental se han popularizado enormemente las funciones de coach vital, conferenciante, gurú espiritual, etc. Esto es algo positivo en el sentido de que amplía como nunca antes el acceso a los estudios que respaldan tales orientaciones. Pero a menudo se descuida o minimiza el trabajo necesario para desempeñar el papel de asesor. Si te ves a ti mismo como sanador, maestro, ministro, sumo sacerdote, suma sacerdotisa o cualquier otra persona que enseñe y sirva a los demás, hazlo con una integridad radical. Estarás sosteniendo y conformando la psique de personas que confían en cada una de tus palabras. Hay que comprender y abordar la naturaleza sagrada de estas funciones con disciplina y cuidado. La gente no acudirá a ti cuando todo vaya bien. Tendrás que ser testigo de su agonía y transformarla. Es un trabajo sagrado. Por favor, respétalo.

Por último, y más importante, ahora que la astrología está en tu cabeza y en tus manos, debes también integrarla en tu corazón y en tu alma. Integrar significa hacer un todo. Las ideas que has aprendido en este libro pueden ser objetos brillantes sin integración. O puedes hacer que se integren en tu mente y en tu corazón para que se combinen y se conviertan en las leyes que rigen el universo y que pueden dirigir tu vida. En la medida de tus posibilidades, honra la necesidad que hay en tu alma de contemplación, oración y meditación para ayudar a estos principios a hacer el viaje de la cabeza al corazón, para que puedas vivir en las estrellas el resto de tu vida.

REFERENCIAS

[1] Ulla Koch-Westenholz. *Mesopotamian Astrology: An Introduction to Babylonian and Assyrian Celestial Divination.* Copenhague: Museum Tusculanum Press, 1995.

[2] Merriam-Webster, s.v. «omen» (presagio), consultado el 14 de agosto de 2018. https://www.merriam-webster.com/dictionary/omen.

[3] Agustín, y E. M. Blaiklock. *The Confessions of Saint Augustine: A New Translation with Introductions,* TN: T. Nelson, 1983.

[4] De Aquino, Tomás. *Summa Theologica.* MobileReference.com, 2010.

[5] Anthony Cummings. «Leonine lasciviousness and Luther».

[6] Término inglés con origen en el latino *vale dicere* (decir adiós). Se aplica en EE UU al estudiante que pronuncia el discurso de despedida durante la ceremonia de graduación (*N. del T.*).

AGRADECIMIENTOS

Mi corazón se inclina lleno de agradecimiento ante mi madre Kathleen, de Cáncer, y mi padre Brian, de Leo, que me tienen tanto a mí como a mis creencias en un pedestal. Mi abuela Virgo me señaló las estrellas en los cielos italianos y cambió para siempre mi forma de experimentar la tierra. A mis primeros amigos, mi hermano Brendon de Tauro, que nunca ha dejado de protegerme o hacerme reír. Y a mi hermana gemela Courtney, que es una mujer poderosa y mi heroína. A mis parientes lejanos —tías, tíos y primos—, a los que nunca he dejado de querer.

Para mi editora de Capricornio, Kate Zimmermann, que me ha invitado amablemente a formar parte de la familia *Sterling,* algo que ha sido nada menos que un sueño milagroso hecho realidad.

A la familia real Stowell, puesto que mi vida americana ha cambiado para siempre gracias mi proximidad a Kent. Vosotros ponéis el *Unido* en el Reino Unido. El universo brilla un púrpura más brillante para Tansy, y estamos profundamente agradecidos por el papel que juega y que le permite brillar en nuestras vidas y corazones.

A mis mentoras y familia del alma, Ophira y Tali Edut, puesto que su excelencia como personas y su astrología han dejado un impacto cuántico en mi vida. A mi madrina astrológica Maria DeSimone: gracias por tu brillantez, compasión y generosidad. Para Samuel Reynolds y su demostración de inclusión y acceso para todos, nunca dejaré de construir puentes sobre las brechas, en tu honor. Con profunda reverencia, veo cómo enriquecen mi vida las enseñanzas de Marianne Williamson en *A Course in Miracles*. Sois una inspiración para todos.

Para mis amigos de todo el zodíaco, sois mi religión. Vuestras historias, vuestras vivencias y vuestras experiencias han inspirado cada palabra de este libro. Gracias por compartir vuestros testimonios conmigo. Este libro es mi carta de amor para vosotros.

SOBRE EL AUTOR

Colin Bedell es un gemelo gay de Géminis de la costa sur de Long Island, Nueva York. Es un apasionado de la astrología, los sistemas de crecimiento personal y *A Course in Miracles*. Es un estudiante universitario de la primera promoción y un *Provost's Scholar** en el programa *MA Fashion Studies de Parsons School of Design*, donde fue el estudiante encargado de pronunciar el discurso en la ceremonia de graduación de 2016 de la *New School*, y también ha sido conferenciante en *Sister Giant 2017* sobre la astrología de la historia americana, en Washington, D.C. Escribe horóscopos semanales para *Cosmopolitan.com* y es colaborador de *Astrology.com*. Puedes leer su obra y concertar una consulta con él en su página web *QueerCosmos*, un sitio fundado para explorar las identidades queer, la astrología y los temas espirituales universales.

---

* Este es un título que, en universidades estadounidenses, se otorga a estudiantes con un rendimiento académico sobresaliente (*N. del T.*).

ÍNDICE TEMÁTICO